CÓMO CONVERTIR $5.000 EN UN MILLÓN

Heikin Ashi Trader

DAO PRESS

Primera edición: noviembre de 2019

La información presentada en este documento representa la opinión del autor a partir de la fecha de publicación. Este libro se presenta únicamente con fines informativos y de entretenimiento. Debido a la velocidad con que las condiciones económicas y culturales cambian, el autor se reserva el derecho de modificar y actualizar sus opiniones en función de las nuevas condiciones. Si bien se han realizado todos los intentos posibles para verificar la información en este libro, ni el autor ni sus afiliados/socios asumen ninguna responsabilidad por errores, inexactitudes u omisiones. En ningún momento la información contenida en este documento se constituirá como asesoramiento profesional, de inversión, fiscal, contable, legal o médico. Este libro no constituye una recomendación o una garantía de idoneidad para ninguna empresa, industria, sitio web, activo, cartera de valores, transacción o estrategia de inversión en particular.

Publicado por:

Dao Press

Dao Press es un sello editorial de Splendid Island, Ltd.

Scanbox 05927

Ehrenbergstrasse 16a

10245 Berlin - Deutschland

Tabla de Contenido

Capítulo 1:

¿Es posible convertirse en millonario en el mercado de valores?

Sin duda alguna, cada operador está interesado en cómo operar una cuenta pequeña. Cómo lograr aumentar ese capital semilla (generalmente pequeño), o mejor aún, cómo lograr hacer una pequeña fortuna con tan corta suma, preferiblemente, tan rápido como sea posible.

Tan pronto como el dinero está en la cuenta de corretaje, la mayoría de los operadores generalmente comienzan a buscar algún tipo de *método del santo grial*, el cual a veces lleva años (en tanto en cuanto aún quede dinero). Quisiera señalar mi punto de vista sobre las cosas en este libro: probablemente sorprenderá a algunos y ciertamente molestará a otros, porque lo que tengo que decir sobre el tema pudiera no ajustarse a todos.

Quienes han leído mis otros libros saben que soy un crítico de la idea de hacer una fortuna solo invirtiendo poco capital. Sí, existen operadores que triunfaron haciendo esto, pero son pocos y distantes entre sí. Y, sobre todo, existen muy pocos que lo hayan alcanzado con los métodos a corto plazo tradicionales.

El objetivo de 1 millón de dólares es una meta muy alta para la mayoría de los operadores. De hecho, algunos dirían que un millón es la suma con la que se entra al mercado de valores. Como lector, posiblemente sepa que, incluso este monto, no garantiza el éxito. De todas maneras, la mayoría de los operadores no posee tanto capital cuando comienzan.

Por lo que la pregunta es bastante legítima: una vez haya decidido que el mercado de valores es la mejor forma (conozco a alguien que hizo su primer millón vendiendo helados), ¿qué necesita hacer si quiere ganar un millón?

Los grandes objetivos requieren grandes perspectivas. Planear ganar 500 dólares haciendo *trading* necesita una perspectiva diferente a si la meta fuese ganar 1 millón de dólares. Este libro trata sobre cómo adoptar tal perspectiva.

Desafortunadamente, muchos operadores intentan alcanzarla apegándose a la perspectiva de USD 500. "Solo debo lograr esta "modesta meta" por suficientes días seguidos", dicen, "tarde o temprano llegaré al millón por mi cuenta".

Como regla general, estos operadores nunca alcanzan su objetivo, y firmemente creo que la razón de este fracaso radica en el hecho de que su perspectiva es incorrecta. Equivale a buscar monedas de 5 centavos en la calle. Indudablemente, es posible convertirse en millonario recolectando 5 centavos, pero, en mi opinión, eso tomaría demasiado tiempo.

De paso, solo llegué a comprender esta simple verdad gradualmente. Yo fui uno de esos operadores que buscaban 5 centavos diariamente. La tragedia de este enfoque es que, de vez en cuando, pueden encontrarse algunas de dichas monedas. Esa pequeña ola de felicidad que se siente le hace pensar a uno que está en el camino correcto. No cabe duda de que quien recolecte monedas de 5 centavos llegará a su millón, algún día. Por ejemplo, si encuentra una de ellas diariamente, solo necesitará repetir este éxito durante los próximos 20 millones de días. Creo que el lector verá lo absurdo de esta idea.

Por lo tanto, si se propone un objetivo elevado, deberá buscar ideas que lo lleven a su destino un poco más rápido que nuestro valiente coleccionista de monedas de 5 centavos. En este libro, veremos cómo poder encontrar tales oportunidades y qué perspectiva se necesita adoptar (en lugar de caminar con los ojos pegados a la acera).

Me gustaría presentar al lector una estrategia que, en mi opinión, hace posible construir una fortuna en el mercado de valores. No digo que esta sea la única forma, porque hay miles de ellas para ganar dinero en él, pero es un método radical, pues supone que, en circunstancias normales, el operador que posea un pequeño capital inicial no podrá lograrlo. No obstante, existe la posibilidad de conseguir hacerlo con tan solo una pequeña inversión, adquiriendo el capital restante de otra fuente ajena a usted. La estrategia que aquí presento comienza con la suposición de que el operador no puede lograr esto con *su propio* dinero, sino solo *con el dinero del mercado*. Tendrá que aprender a obtenerlo de donde esté, y hacerlo descaradamente. En otras palabras, tendrá que tomar serios riesgos. Creo que eso habla por sí mismo. Decir cualquier otra cosa, sería mentir.

Tal como es posible construir un imperio inmobiliario sin un dólar de patrimonio, asimismo lo es construir una gran cuenta de *trading* en un tiempo relativamente corto y con un pequeño capital inicial (USD 5.000 o incluso menos). Aquí me estoy contradiciendo porque en libros anteriores he dicho que esto no es posible. Lo que intenté decir es que no es posible hacerlo con los métodos convencionales de *trading*. En otras palabras, tendrá que utilizar caminos muy poco convencionales si desea alcanzar esa meta.

Capítulo 2:

¡Opere con el dinero del mercado, no con el suyo!

Mi mejor año de operaciones fue 2008, pero la mayor parte del dinero obtenido no vino de mi negociación o especulación diaria. Aun cuando esos métodos también funcionaron bien ese año, la mayoría de mis ganancias provinieron de <u>una sola operación</u>. ¡Una sola! Gané más con ella que lo ganado en los tres años anteriores. Esta experiencia fue una especie de ruptura para mí. Es la clase de momentos en los que se descubren posibilidades totalmente nuevas. Ese fue el caso con la operación en la que hice una suma de seis cifras. Era el momento de la crisis financiera. Lehman Brothers estaba en quiebra. Los mercados bursátiles se habían desplomado. Casi todos enfrentaban grandes pérdidas, mientras que yo fui capaz de cosechar la mayor ganancia de mi carrera como operador por *estar parado al otro lado*. No, no estaba corto en valores, aunque hubiese sido una excelente idea. Estaba largo en plata. Esa fue mi única posición en ese momento emocionante: largo en plata.

Estaba convencido de que, en una crisis de confianza de esa magnitud (crisis de alto riesgo), sería una buena idea comprar la llamada "moneda de crisis". A los inversionistas les gusta colocar su dinero en mercados considerados como refugios seguros en tiempos de agitación. Tradicionalmente, estos son los metales preciosos, especialmente oro y plata, claro, pero también monedas de ciertos países, como el franco suizo o la corona noruega. En aquel momento no entendí que eso también incluía el dólar estadounidense. Escapar del riesgo generalmente ayuda a aquellos mercados considerados relativamente estables o de "bajo riesgo". Elegí la plata porque supuse que ella superaría al oro en esa crisis. Esta suposición resultó ser correcta, pero desafortunadamente, realmente no se materializó sino hasta tres años después, cuando la plata subió a niveles estratosféricos tras la crisis del euro.

Con todo, mi operación en plata de 2008 fue un éxito, aunque el movimiento del metal, a principios de 2008, fue modesto en comparación con lo sucedido en 2010-2011. Durante la crisis de alto riesgo de finales de 2017, comencé a construir posiciones más pequeñas de alrededor de USD 13 o USD 14. Estas primeras posiciones se convirtieron en ganancias, rápida y fácilmente. Después de unos días, ya tenía una ganancia en libro de más de USD 1,000. Nada mal, podría pensarse, y en circunstancias normales, habría sido feliz con ella y vendido la posición.

A propósito, mi intención no era la de mantener esa operación por mucho tiempo. Admito con agrado que fue pensada como negocio de un día. Una vez que la posición arrojó ganancias, pensé: ¿por qué no dejar que siga así un poco más e intentar sacar mayor provecho de ella? Y, de hecho, la plata subió al día siguiente y tuve el coraje de comprar otro contrato. Pero debe estarse consciente de la histeria de esos días. Los medios estaban llenos de malas noticias, por no decir noticias catastróficas. Los mercados bursátiles se desplomaron a nivel mundial, y cuando el 15 de septiembre apareció la noticia de la quiebra de Lehman Brothers en el teletipo bursátil, la presa se rompió. ¡La crisis era total!

Mi operación en plata, por otro lado, funcionó muy bien. Cuanto más subía su precio, más contratos compraba. Unos días después, ya tenía ganancias de cinco dígitos. Pero si piensa que tal ganancia lo elevará a un estado de permanente euforia, se equivoca. Los precios no suben súbitamente (ojalá lo hicieran). De ningún modo. Cuando los mercados se alocan y la volatilidad aumenta, los precios fluctúan tanto que pueden cambiar igual de salvajemente en la dirección opuesta. Recuerdo que mi posición en plata era de USD 17.000 en ganancias, una mañana, y solo

USD 12.000 en la tarde, debido a una corrección. ¡Una pérdida en libro de USD 5.000 en solo un par de horas!

Eso fue mucho más de lo que me hubiese permitido en condiciones normales, pero debe poderse vivir con eso si se quiere aumentar la posición sistemáticamente. Permítame señalar que no tenía un teléfono inteligente en ese momento (soy un poco anticuado). Tener una serie de contratos en un mercado de tendencias es algo desconcertante (en realidad, de algún modo, un gran éxito también lo es, por lo que la mayoría de las personas prefieren vivir sin él). De tal forma que continuamente tenía que abrir mi computadora portátil para ver qué estaba pasando con mi posición en plata.

A comienzos de enero de 2008, la plata alcanzó una resistencia de cerca de USD 15, la cual se mantuvo por espacio de dos años. Tenía colocadas varias órdenes *buy stop* por encima de ese nivel, todas las cuales se ejecutaron cuando surgió el estallido. Pronto había duplicado mi posición nuevamente. En ese momento, el mercado se volvió realmente emocionante. Las fluctuaciones en mi cuenta eran bastante salvajes. En el lapso de un minuto, era varios cientos de dólares más rico o más pobre, y pronto los cientos se convertirían en miles de dólares...

Imagen 1: Plata, gráfica mensual 2006 - 2019

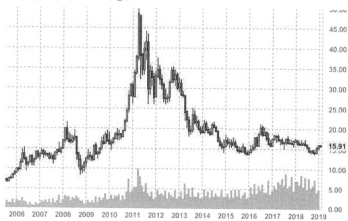

Recuerdo bien que sentí que estaba en el lado seguro con esta posición. Sabía que tenía una operación ganadora y que todo lo que tenía que hacer era disciplinadamente negociar el movimiento ascendente en plata. Esta fue una situación extraordinaria porque solo tenía unos pocos miles de euros en mi cuenta de corretaje, dinero que utilicé para experimentar y realizar operaciones *swing* ocasionales, si veía una oportunidad. Si mal no recuerdo, apenas tenía unos 2.700 euros en esa cuenta. No mucho, considerando que, gracias a esta sola operación en plata, eventualmente obtuve una ganancia en papel de más de 40,000 euros. Es así, que en unas pocas semanas había hecho ganancias por más del 1,000% gracias al apalancamiento que usé y al hecho de que operaba con el dinero colocado en el mercado. Ese fue todo el secreto de esa operación. No operé con mi propio dinero. Negocié con el dinero del mercado.

Sugiero que echemos un vistazo más de cerca a esto, por cuanto algunos lectores pudieran no entender lo que digo. Si usted compra una propiedad y financia el 70% de ella, básicamente no está comprándola con su dinero, sino con el dinero del banco, quien paga la mayor parte de ella por considerarla como garantía, permaneciendo como su propiedad hasta tanto se haya pagado la última cuota.

Algo similar ocurre en el mercado de valores, una vez que tiene ganancias en libro. En tanto no dé cuenta de ellas (no venda su posición), ese dinero no le pertenece a usted, sino al corredor. Sin embargo, esta ganancia en papel le permite comprar contratos adicionales, puesto que ellos le serán acreditados mediante liquidación diaria. Por lo tanto, dicha ganancia le permite comprar una mayor posición de la que normalmente hubiese podido comprar con su pequeño capital. Este es un apalancamiento comparable a si estuviese comprando una propiedad con un préstamo bancario.

Y, por supuesto, no puede llamar suya su ganancia acumulada en papel hasta que venda su posición y recoja el beneficio. Pero, siempre que no venda, puede continuar comprando, previsto que esté acertado

Después de haber cerrado completamente la posición, no hice nada durante meses. Me tomó tiempo recuperarme de mi propio éxito. Cualquiera que crea que el éxito es algo grandioso y simple, está equivocado. Es realmente aterrador, porque te enfrentas a algo desconocido en ti. Algo que es mucho más grande y poderoso que tú.

Capítulo 3:

Aprendiendo del Gran Maestro
de los especuladores

Al tropezar casualmente con esta operación, inconscientemente hice algo que solo se convertiría en un método real con el paso de los años. Por supuesto, sabía lo que estaba haciendo. Había oído hablar de otros operadores que habían completado este tipo de operaciones exitosamente. Y, claro está, existen ejemplos de operadores en la literatura de *trading* que se han enriquecido de esta manera. Pero, ¡seamos honestos! Un método solo puede entenderse si uno mismo lo aplica. El conocimiento teórico no ayuda en absoluto. Por cuanto no tenía la intención de realizar esa operación, no estaba preparado para los riesgos potenciales del método. Tampoco sabía por lo que, emocionalmente, tendría que pasar durante el tiempo que mantuve esa posición.

En retrospectiva, me tomé el tiempo para estudiar a los operadores que habían utilizado esta estrategia exitosamente, y, sobre todo, evidentemente, al operador y especulador estadounidense Jesse Livermore.

Probablemente él sea el ejemplo más destacado de un operador minucioso y completo. Puede leer acerca de Jesse Livermore en Internet y, claro está, también recomiendo el libro de Edwin Lefevre, "Reminiscences of a Stock Operator [*Memorias de un Operador de Bolsa*]". Entretenidamente, describe el método del que aquí estamos hablando.

Es obvio que Livermore no dominó su método desde el principio. Comenzó a jugar en el mercado a corto plazo, como la mayoría de nosotros (los tiempos no cambian). En algún punto, se dio cuenta de que las grandes cuantías solo podían ganarse con los grandes movimientos del mercado. Obviamente, para esto necesitaba un método diferente del de un operador diario. Primero, debe decirse que Livermore operaba principalmente con acciones. En ese momento no existía tal cosa como operaciones con índices, sin embargo, puede perfectamente aplicarse este método en los mercados de *trading* habituales, tales como S&P500, Nasdaq, Dax, IBEX, CAC40 o EURUSD.

Antes de que Livermore comenzara a operar activamente, observó los mercados. Este es el primer pilar de su método. Livermore fue un buen observador. Sobre todo, observó a los líderes del mercado de su época, las fuerzas impulsoras de los mercados bursátiles. Estudió los valores más importantes de los sectores. En su tiempo, estos fueron Bethlehem Steel o

Northern Pacific, por ejemplo. De más está decir que en la actualidad serían acciones como Apple, Google, Amazon o Facebook. Observó el comportamiento de esos líderes. Vio cómo respondieron a ciertas noticias o si se recuperaron rápidamente de un anuncio negativo (alcista) o no (bajista). Si desea involucrarse con el método de Livermore, puede consultar el pequeño libro de Richard D. Wyckoff "Jesse Livermore's Methods of Trading in Stocks [*El Método de Jesse L. Livermore para Operar en los Mercados*]".

En mi opinión, la palabra clave aquí es "observar". Dicho de otro modo, Livermore pudo no tener una posición en el mercado durante semanas o incluso meses. Contaba con 100% de efectivo durante esos períodos. Eso no es fácil para muchos operadores porque da la sensación de que, al no tener alguna posición, no se está involucrado en el mercado de valores y podrían perderse buenas oportunidades. Nada puede estar más lejos de la verdad. 100% en efectivo es una posición. De hecho, es una posición muy importante.

Antes de poder actuar, primero debe aprenderse a observar de cerca y esperar a que se presenten oportunidades realmente buenas. La paciencia es una de las virtudes más importantes que es necesario desarrollar si se quiere tener éxito con este método. Indudablemente, es la parte más difícil del mismo.

Habrá de aprender a transferir dinero a una cuenta de corretaje para luego hacer nada durante semanas, a veces incluso durante meses.

¿Puede hacer esto, aun si su corredor lo bombardease con correos electrónicos y le pidiese comenzar a operar porque sus sistemas le están enviando grandes "señales"? Nuevamente, tendrá que aprender de Livermore, quien nada odiaba más que los llamados consejos que se obtienen de todas partes tan pronto como se ingresa al mercado de valores. Trató de liberarse de estas influencias confusas por todos los medios a su disposición. Lo hizo aislándose parcialmente del mundo exterior, de forma tal, que solo pudiera escuchar su propia intuición e instintos. No se activó hasta que vio una oportunidad real, venida de sus propias observaciones.

Creo que este hábito es mucho más difícil de aprender hoy que en los días de Livermore. En la actualidad, las noticias, opiniones, consejos y cualquier distracción que la industria de corredores pudiese inventar no solo se presentan en forma de periódicos, revistas, boletines, correos electrónicos y avisos. También destellan en los momentos más inoportunos, en el pequeño y plano dispositivo que cada uno de nosotros lleve permanentemente, donde sea que vayamos.

Debe aprender a olvidarse de todo el ruido e ignorar todas las supuestamente interesantes páginas del mercado de valores, y los artículos aparentemente interesantes de los analistas. O mejor aún, ni siquiera leerlos más. Debe aprender a convertirse en <u>un observador completamente independiente</u> y en una persona de mentalidad completamente autónoma.

Si ha adquirido esta importante capacidad de poder ignorar lo que otros dicen, algún día comenzará <u>a percibir las señales del mercado por sí mismo</u>. Esto es muy importante porque no puede operarse este método sin poder observar y pensar por su cuenta y, por lo tanto, sin haberse formado su propia opinión sobre el mercado. ¿Acabo de decir que debería tener su propia opinión sobre el mercado? Sí, aunque en todas partes haya podido leer que ¡solo puede ser un buen operador si no tiene una opinión del mercado! Esto puede aplicarse a estrategias a corto plazo, como el *trading* diario, pero no aplica si desea realizar una operación tal como la que hice con la plata en 2008. A fines de 2007, debido a la crisis financiera, estaba optimista en el oro y la plata, y el mercado me dio la razón.

¿Tendrá siempre razón con respecto a la dirección del mercado? ¡En lo absoluto! Una y otra vez experimentará que debe cerrar su primera posición con pérdida, o que su posición no progresa absolutamente. Experimentará que el mercado no confirma su opinión. No hay nada de malo en ello. Es parte del juego. Con suerte, saldrá con una pequeña pérdida y volverá al estado de observación, por semanas o incluso meses. Después de todo, desea respetar la primera ley de todo operador: preservar su capital de operación.

En segundo lugar, también debe mantener otro activo aún más importante, y no me refiero al total en su cuenta de corretaje. Su activo más importante es su capacidad de pensar y observar independientemente. Mientras tenga una posición (y su dinero esté expuesto a los riesgos del mercado), no podrá pensar más. Está emocionalmente involucrado en la operación, y cuanto más grande sea la posición y mayor la cantidad de dinero que haya en juego, más luchará con sus sentimientos y emociones.

Si sus emociones son tan fuertes que apenas puede soportarlas, entonces su posición probablemente es demasiado grande. Si son tan débiles que apenas las siente, entonces probablemente es demasiado pequeña y debería aumentarla. Funciona en ambos sentidos. Por ejemplo, yo era uno que solía mantener mis posiciones demasiado pequeñas, por lo que mi operación en plata fue una especie de momento catártico para mí, ya que me obligó a expandir el monto arriesgado cuando se presentó la oportunidad.

Uno debe darse cuenta de que ganar dinero en el mercado de valores no sucede de igual forma que en las profesiones habituales. Con un trabajo regular, se obtiene la misma cantidad mensualmente. Eso les da una sensación de seguridad a quienes transitan este camino. En el mercado de valores no existe tal cosa. ¡Oh bueno! Algunos piensan que es posible. La operación diaria, por ejemplo, es un intento de reintroducir la seguridad de un trabajo de oficina, con ingresos regulares entrando por la puerta trasera.

En el mercado de valores solo existen ganancias asimétricas. ¿Qué significa eso? Principalmente, que no hay ganancia, o incluso pudiera haber algo de pérdida. Y luego llega el día en que se sirve el asado. Estas son las oportunidades circunstanciales en las que puede hacerse una pequeña fortuna. Está demás decir que estas oportunidades solo se encuentran disponibles para el operador que está preparado. Y es por eso que es tan importante construir su propio puesto de observación independiente como lo hizo Jesse Livermore.

Después, si ve una oportunidad basada en *sus* observaciones, debería comprar (o vender si va corto) una primera pequeña posición. Esta primera posición sirve para <u>probar el agua</u>. Pero la primera posición también tiene otra importante función. Según Livermore, no puede juzgarse un mercado hasta no estar uno mismo en él. Esta primera pequeña posición le dice si está o no en el mercado correcto. Sin una posición, no hay forma de saberlo. Debe involucrarse emocionalmente con su propio dinero.

Si la operación se siente bien y el mercado se está moviendo en la dirección correcta, puede comenzar a comprar más contratos (o más acciones si opera con valores). Por supuesto, no captará una tendencia importante continuamente, como hice con mi operación de plata. A veces tendrá que interrumpir la operación porque la tendencia no continúa o incluso gira en la dirección contraria, pero si sigue los criterios que explicaré en los siguientes capítulos, ocasionalmente obtendrá un buen beneficio.

Capítulo 4:

Escalando hacia adentro - Escalando hacia afuera

El verdadero secreto de un negocio de *trading* exitoso no es la entrada o salida perfectas de una posición. Demasiados operadores ponen excesivo énfasis en este aspecto de la estrategia. <u>El verdadero secreto es asegurar que sus operaciones ganadoras sean infinitamente mayores que sus perdedoras.</u>

Si con una operación tiene ganancia en papel, no debe frenéticamente vender y guardar los beneficios, como muchos operadores hacen. Debería verla como una oportunidad u opción, y preguntarse si en ella aún queda, o no, mucho por ganar. De ahí, que la estrategia correcta sea invertir en esta ganancia en libro.

En principio, esta técnica de negociación puede llevarse a cabo con cualquier instrumento financiero. Por supuesto, su beneficio será mayor si tales posiciones las construye con instrumentos apalancados, como futuros u opciones. Aprenderá a reinvertir sus ganancias no realizadas en operaciones abiertas. En pocas palabras: solo compre contratos adicionales (o valores) cuando los anteriores ya existan como ganancia. De esta forma, puede construir grandes posiciones en el mercado **sin aumentar el riesgo inicial de la posición**. Así, la RRR (Relación Riesgo - Recompensa) mejorará gradualmente.

Sin embargo, si hace lo contrario, promediar a la baja (*averaging down*), aumentará su riesgo. Realizar un promediado a la baja cuando los precios caen aún más, solo tiene sentido para inversionistas de largo plazo, quienes, por ejemplo, tienen una estrategia de dividendos.

Desde ya, me gustaría aclarar que la técnica de compra (*buying up*) es de fácil comprensión, pero no necesariamente fácil de llevar a cabo. Ella va en contra de la "naturaleza" del operador, pues tan pronto como una operación se vuelve rentable, quiere cubrirla mediante una gestión de *stop* activa, o incluso embolsar las ganancias. Por ello, el operador debe reunir mucho autocontrol y disciplina a fin de no ceder a su tendencia natural de recoger los primeros rendimientos y correr. Por el contrario, en vez de tomarlos y salirse del mercado, debe aprender a comprar contratos adicionales (o acciones). Cuando su posición inicial esté en ganancia, tiene que aprender a incrementarla. Esto requiere coraje, pero también la perspicacia para entender que es la única forma de alcanzar ganancias sustanciales.

El método que presento aquí no es el mismo que el llamado piramidal. Es importante describir claramente la diferencia. Construir una pirámide en un mercado significa que la primera posición que se compra es la mayor (la base de la pirámide). Cada posición adicional que se compra debe ser un poco más pequeña que la anterior, generalmente la mitad del tamaño. Así que, si se comienza con 100 acciones, la segunda posición solo debe ser de 50 acciones, la tercera de 25 y así sucesivamente.

Está clara la idea de este enfoque. Un operador que trabaja con esta metodología cree que cuanto más duradera sea una tendencia, mayor es la probabilidad de que cambie. Por eso reduce el riesgo. Aunque puedo entender la lógica, es una idea poco óptima para mí. Si está en lo correcto acerca de su apreciación del mercado y la tendencia continúa, entonces definitivamente debería seguir avanzando porque, si ya está asentado en buenas ganancias, puede, como se mencionó anteriormente, especular con el dinero del mercado.

Debería internalizar esta diferencia. El riesgo no equivale a arriesgar. Si usted es un operador diario y cierra sus posiciones cada noche, todas las mañanas comienza nuevamente. Esto significa que diariamente arriesga SU dinero. En tal sentido, podría decirse que el *trading* diario es poco óptimo en términos de gestión de riesgos. Diariamente está arriesgando SU dinero en los mercados.

En contraste, si escala en una tendencia, solo arriesga su dinero con la primera posición. Para el segundo contrato, paga con el dinero del mercado (con las ganancias en papel de la primera posición). De ahí que no hablo sobre piramidar, sino sobre **escalar hacia adentro - escalar hacia afuera** (*scaling in - scaling out*).

A diferencia de construir una pirámide, no podrá incrementar su posición hasta que la primera tenga suficiente ganancia en libro, de tal modo que esta ganancia en papel es la que le permite comprar una segunda, no siendo esta menor que la primera, pues generalmente es del mismo tamaño. Por ejemplo, si negocia futuros, la unidad más pequeña es 1 contrato. Esta unidad es irreducible e indivisible.

En ese sentido, usted duplica su posición con la compra de un segundo contrato. Si este también tiene ganancia, las ganancias en papel de los dos primeros contratos le permiten comprar un tercero. De aquí en adelante, no duplicará su posición, como lo hizo con el segundo contrato, sino que su posición aumenta en un 33%. Cuanto más dure la tendencia y más contratos pueda comprar, menor será su riesgo, aun cuando su posición aumente sustancialmente con cada nueva compra. Por ende, con cada nuevo contrato comprado, aumenta considerablemente la posibilidad de una gran ganancia, mientras minimiza el riesgo gracias a las ganancias acumuladas en libro.

Por lo tanto, desde mi punto de vista, el *scaling in - scaling out* es un método mucho menos arriesgado que el *trading* diario, o incluso que mantener una cartera de acciones que ha comprado al 100% con sus propios fondos. Espero que la diferencia esté clara.

Un inversionista inteligente intenta generar un rendimiento máximo con el menor riesgo inicial posible. Este es el caso de los bienes raíces (aquí, el banco financia la propiedad y el inquilino paga las cuotas). Y así es como debe ser cuando compra una compañía o acciones de la compañía (mediante colocaciones privadas, no a través de la compra de acciones en el mercado).

En mi opinión, el método de *scaling in - scaling out* pertenece, por lo tanto, a una caja de herramientas avanzada para inversionistas.

La primera posición no es más que una hipótesis, y así es como realmente debe verse. Usted presupone cómo podría desarrollarse un mercado (desde el momento de la compra o venta en una venta corta). Esta suposición se confirmará o no. Básicamente, el resultado no importa. A veces tendrá razón, otras, estará equivocado.

Es por eso que no debe piramidar (comprar la mayor posición al principio), porque estará comprando la mayor posición con su propio dinero. Es mejor comprar la mayor parte de la posición con el dinero del mercado (a través de las ganancias en papel).

Claro está, el método de *scaling in - scaling out* no está completamente libre de riesgos, pues un revés, mediano o pequeño, puede reducir, o incluso destruir, la ganancia acumulada en papel. Sobra decir que, si esto sucede, deberá empezar a reducir su posición, y cerrarla por completo si fuese necesario. Sería el caso de "nada aventurado, nada ganado".

Idealmente, debería construir una posición en tal mercado para evitar que esto ocurra. Es por eso que le recomiendo no utilizar este método en tendencias medias (las cuales toman algunos días) o incluso en tendencias a corto plazo (unas pocas horas). Ese es el error común que muchos cometen. Este método está diseñado para las principales tendencias del mercado de valores. La idea es que esté en el negocio durante semanas, y posiblemente varios meses. Solo de esta manera puede lograr ganancias superiores al promedio, incluso con un pequeño capital inicial. Esto apenas es posible con tendencias que solo duran unos cuantos días. Lleva tiempo desarrollar la posición.

Por ejemplo, si compra una acción a USD 20, su meta no debería ser venderla a USD 22. Esa no es una gran tendencia. Pero si mantiene la acción durante seis meses, y esta aumenta a USD 35, entonces tiene tiempo para construir una posición significativa con ella, la cual financia con ganancias en libro.

Por cierto, el *scaling in* y el *scaling out* no son inusuales. Es un método común utilizado por muchos operadores y fondos de cobertura para construir posiciones significativas en un mercado. Sin embargo, si no posee experiencia previa con este método, le recomiendo comenzar con un enfoque calmado y no comprar demasiados contratos en la primera operación. Demostraré cómo funciona la técnica con dos ejemplos.

Imagen 2: Crudo: Escalando hacia adentro - Escalando hacia afuera

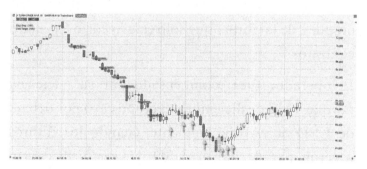

Como ejemplo, miremos más de cerca esta operación corta en los futuros del crudo. Después de que el mercado dio una señal a la baja, el operador fue corto con un primer contrato de futuros a USD 69,70 (pequeña línea roja en la esquina superior izquierda del gráfico). A medida que el mercado continuó cayendo, vendió un segundo contrato corto a USD 66,40. En total, vendió siete contratos en este mercado a la baja. Cuando a finales de noviembre de 2018 el crudo alcanzó la marca de USD 50, el futuro comenzó a moverse lateralmente en ese nivel. Después de detener su caída durante una semana, el operador sabía que podría ocurrir un revés o corrección, y comenzó a escalar hacia afuera. Volvió a comprar un primer contrato en el mercado (primera flecha verde en la parte inferior izquierda). De ahí, que únicamente estuvo corto en seis contratos y materializó la ganancia de uno. Cuando el mercado se estabilizó por encima de USD 50 pasados tres días, cerró un segundo contrato, y un tercero dos días después, de tal forma que solo estuvo corto en cuatro contratos.

El operador fue recompensado por su paciencia porque, el 17 de diciembre, el crudo cayó por debajo de USD 50. Al día siguiente, cuando los futuros cayeron por debajo de USD 47, cerró un cuarto contrato. En ese momento solo estuvo corto en tres contratos. El mínimo de este movimiento fue de USD 42,72. Por supuesto, el operador no pudo predecirlo. Gradualmente cerró los tres contratos restantes (flechas verdes a la derecha) a medida que, en los siguientes días, el futuro comenzó nuevamente a subir.

Aunque en este ejemplo el operador no alcanzó el nivel óptimo, de todas maneras realizó una operación exitosa. En este movimiento, estuvo corto con siete contratos, todos los cuales consiguió cerrar con ganancia. A título general, el operador estuvo en la posición del 18 de octubre de 2018 al 2 de enero de 2019, casi dos meses y medio. Este es un típico período de tiempo para el tipo de operación de posición del que estamos hablando.

Por tal motivo, veremos más atentamente la operación y evolución de los contratos individuales. En este caso, el operador negoció el contrato de futuros de crudo en la Bolsa Mercantil de Chicago (CME, por sus siglas en inglés) (código CL). El tamaño de la marca (la menor fluctuación de precio) es USD 0,01 por barril, y su valor es USD 10,0. El margen nocturno de su corredor estadounidense fue de USD 2.145. Esto significa que el operador necesitó tener en la cuenta, al menos, USD 2.145 para poder negociar un contrato. Sin embargo, fue capaz de ir corto con más contratos, gracias a la ganancia en libro de los primeros de ellos.

Contrato 1: Corto USD 69,70, parejo USD 53,50, ganancia:	1.620 tics x USD 10 = USD 16.200
Contrato 2: Corto USD 66,40, parejo USD 54,05, ganancia:	1.235 tics x USD 10 = USD 12.350
Contrato 3: Corto USD 64,20, parejo USD 52,10, ganancia:	1.210 tics x USD 10 = USD 12.100
Contrato 4: Corto USD 61,90, parejo USD 46,60, ganancia:	1.530 tics x USD 10 = USD 15.300
Contrato 5: Corto USD 59,70, parejo USD 45,90, ganancia:	1.380 tics x USD 10 = USD 13.800
Contrato 6: Corto USD 55,80, parejo USD 46,10, ganancia:	970 tics x USD 10 = USD 9.700
Contrato 7: Corto USD 52,20, parejo USD 47,50, ganancia:	470 tics x USD 10 = USD 4.700
Total:	**8.415 tics x USD 10 = USD 84.150**

Si el operador hubiera estado corto con, por ejemplo, solo un contrato, el primero, entonces su ganancia hubiera sido de USD 16.200. Ciertamente no está mal, pero espero en este ejemplo poder demostrar la ventaja del método de escalar hacia adentro, donde se registró una ganancia de USD 84.150. En otras palabras, el operador fue capaz de materializar una ganancia de USD 84.150 con una apuesta de USD 2.140 (margen inicial del primer contrato). Estas son las operaciones de las que hablo, y realmente ayudan a hacer crecer su cuenta sustancialmente (y en muchos casos, también su posición financiera). Es por eso, en mi opinión, que vale la pena esperar pacientemente por dichas oportunidades.

Este ejemplo es un poco idealista. Aquí, estábamos tratando con un mercado que caía gradualmente, como un tramo de escaleras. Claro, esta situación facilita al operador construir una posición paso a paso. También pudo escalar silenciosamente cuando el mercado alcanzó el nivel de USD 50. Normalmente, aquí habría de esperarse una inversión apropiada, obligando al operador a cerrar sus posiciones rápidamente. Como este no fue el caso, el operador pudo beneficiarse de una nueva caída en el precio del petróleo con los cuatro contratos restantes.

Debe quedarle claro al lector que tal caso ideal no siempre acontece. Como regla general, si lidiamos con una verdadera "crisis de mercado", las cosas son un poco más caóticas. El siguiente ejemplo ilustra tal situación.

Imagen 3: Futuro de Gas Natural, gráfica de 4 horas

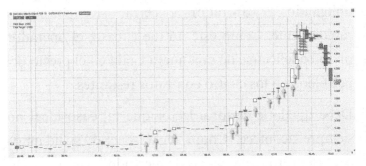

En el ejemplo de la imagen 3, el operador eligió negociar el contrato principal en Gas Natural (NG, por sus siglas en inglés), el cual se negocia en la Bolsa Mercantil de Nueva York (Nymex, por sus siglas en inglés). Su corredor estadounidense requirió un margen nocturno de USD 2.420 por contrato. De haber, por ejemplo, negociado con un corredor europeo, hubiese tenido que depositar USD 5.000 para incluso negociar un contrato. La fluctuación de precio más pequeña (*tic*) en este contrato es 0,001. El valor de una sola marca es de USD 10.

Después de que, en 2018, el futuro del gas natural hubiera fluctuado durante meses entre USD 2,50 y USD 3,00, el precio repentinamente subió por encima de USD 3,20 el 5 de noviembre. Esto llevó al operador a abrir una primera posición de prueba en este mercado (primera flecha verde en la parte inferior izquierda). Cuando el mismo día el precio subió a USD 3,40, el operador compró un segundo contrato.

El 6 de noviembre, los futuros subieron por encima de USD 3,40, por lo que el operador compró un tercero. Llevó hasta el 9 de noviembre, antes de que el operador pudiese comprar nuevamente. El mercado se movió lateralmente durante varios días.

Del 9 al 13 de noviembre, el operador fue capaz de comprar seis contratos adicionales. Ahora estaba largo con nueve contratos. El 14 de noviembre fue el día en que el futuro comenzó a subir parabólicamente. Durante el día, el futuro aumentó de USD 4,00 a más de USD 4,80, ¡un incremento del 20%! Como puede verse, el operador compró cuatro contratos más en el transcurso de la subida, pero pronto tuvo que comenzar a escalar hacia afuera, debido a la loca volatilidad. Durante la tarde y noche del 14 de noviembre, el operador vendió nueve de sus catorce contratos. Al día siguiente, cerró los siguientes cinco a precios menos favorables. Su suposición de que el futuro continuaría aumentando al día siguiente, tal vez incluso a más de USD 5,00, no se había materializado, por lo que tuvo que vender el resto de su posición.

Aunque el operador estaba lejos de vender en el máximo de este movimiento en Gas Natural, obtuvo una ganancia considerable. Esta operación solo duró 10 días, un período inusualmente corto para este tipo de especulación. Verá, el operador fue capaz de comprar más y más contratos en la subida, gracias a las ganancias en libro. Luego, tuvo que escalar hacia afuera de su posición, relativamente rápido. En este caso, dentro de unas pocas horas. Es importante tomar esto en consideración cuando la volatilidad del mercado comienza a aumentar desproporcionadamente. En general, esto indica que el movimiento está llegando a su fin. Veamos más de cerca las ganancias de los contratos negociados aquí.

Contrato 1: Largo USD 3.200, parejo USD 4.450, ganancia: 1.250 tics x USD 10 = USD 12.500

Contrato 2: Largo USD 3.400, parejo USD 4.500, ganancia: 1.100 tics x USD 10 = USD 11.000

Contrato 3: Largo USD 3.430, parejo USD 4.550, ganancia: 1.120 tics x USD 10 = USD 11.200

Contrato 4: Largo USD 3.550, parejo USD 4.580, ganancia: 1.030 tics x USD 10 = USD 10.300

Contrato 5: Largo USD 3.600, parejo USD 4.600, ganancia: 1.000 tics x USD 10 = USD 10.000

Contrato 6: Largo USD 3.650, parejo USD 4.650, ganancia: 1.000 tics x USD 10 = USD 10.000

Contrato 7: Largo USD 3.800, parejo USD 4.720, ganancia: 920 tics   x USD 10 = USD 9.200

Contrato 8: Largo USD 3.870, parejo USD 4.680, ganancia: 810 tics   x USD 10 = USD 8.100

Contrato 9: Largo USD 3.950, parejo USD 4.620, ganancia: 1.000 tics x USD 10 = USD 10.000

Contrato 10: Largo USD 4.000, parejo USD 4.650, ganancia: 670 tics   x USD 10 = USD 6.700

Contrato 11: Largo USD 4.100, parejo USD 4.480, ganancia: 380 tics   x USD 10 = USD 3.800

Contrato 12: Largo USD 4.200, parejo USD 4.450, ganancia: 250 tics   x USD 10 = USD 2.500

Contrato 13: Largo USD 4.300, parejo USD 4.350, ganancia: 50 tics   x USD 10 =   USD 500

Contrato 14: Largo USD 4.450, parejo USD 4.290, pérdida: 160 tics   x USD 10 = - USD 1,600

Total:	**10.420 tics x USD 104.200**

Como puede ver, la operación valió la pena, a pesar de que el operador tuvo que cerrar un contrato con pérdida (contrato 14). Esto puede suceder si tiene que escalar rápidamente hacia afuera. Es importante tener en cuenta que los precios pueden fluctuar salvajemente al final de tal movimiento, y aunque la mayor parte de la ganancia se realiza al final, debe tenerse cuidado con las correcciones o reveses que pudieren ocurrir.

Capítulo 5:

¿Debería usar Stops?

La mayor ventaja de la técnica *scaling in - scaling out* está en la reducción del riesgo inicial. El operador que siempre negocia con el mismo tamaño de posición, arriesga lo mismo una y otra vez. Empero, si gradualmente la aumenta, gradualmente, también minimiza el riesgo, llegando a desaparecer por completo en algún punto. Con el cuarto o quinto contrato, habrá acumulado tanta ganancia en papel que ya no podrá perder. Claro está, aun cuando cada vez que compre un nuevo contrato tendrá un riesgo de mercado para ese contrato específico basado en su capital de negocio, el beneficio acumulado lo protege de un nuevo riesgo para su cuenta. Esa es la diferencia fundamental que debe comprender, y es por eso que esta técnica le permite una gestión de riesgos mucho mejor de la que hubiera tenido de otra manera.

Por supuesto, siempre debe estar consciente de un escenario en el que una tendencia establecida cambie súbitamente y el mercado comience a moverse masivamente en la dirección contraria. En ese caso, sus contratos, que al principio fueron rentables, repentinamente comienzan a perder. Dependiendo de cuántos contratos (o acciones) tenga actualmente, tal contramovimiento puede rápidamente conllevar pérdidas significativas. Luego recibirá llamadas de margen de su corredor. Tan pronto como llegue la primera, no debería dudar en inmediatamente comenzar a escalar hacia afuera. Incluso podría necesitar cerrar la posición completa, y luego deberá clasificar esta especulación bajo la categoría "intentos fallidos".

Otra forma de reducir el riesgo cuando el mercado va en la dirección equivocada es asegurar sus posiciones con *stops*. Desde luego, si ha comprado múltiples contratos y desea asegurarlos con *stops*, las cosas se complicarán un tanto. Queda a criterio de cada operador si quiere usar *stops* o no.

De hecho, cuando se trabaja con *stops*, básicamente no se construye una única posición. Por el contrario, hay muchas operaciones individuales conjuntas. La posición se divide en muchas operaciones pequeñas. No hay nada de malo en ello, y recomiendo que los operadores lo hagan primero de esa manera.

La pregunta es cómo debería hacerlo, porque sin importar cuál tipo de *stop* utilice, inevitablemente experimentará que una corrección a corto plazo sacará los contratos fuera del mercado si coloca sus *stops* demasiado cerca del nivel de entrada. A pesar de esta desventaja, recomiendo que los principiantes trabajen de esta manera al comienzo. Primero debe familiarizarse con este método y ganar confianza, de modo que, en una etapa posterior, pueda comenzar a usar *stops* más generosos.

Un principiante, usando esta técnica, puede colocar un *stop* en el primer contrato, para quedar en tablas tan pronto como compre el segundo. Debería hacer lo mismo con el segundo contrato, tan pronto como compre el tercero, y así sucesivamente. De esta forma, su riesgo máximo siempre es igual a R1, o dicho de otra manera, nunca es mayor al riesgo inicial de cuando compró el primer contrato. Este es un enfoque conservador, pero es claro y no está abierto a ningún tipo de interpretación.

Una segunda opción sería trabajar con *stops* de arrastre (*trailing stops*) que pudiera establecer para cada contrato en el camino. Esto brinda un poco más de flexibilidad y también una mejor oportunidad de obtener el máximo provecho de la operación, lo que de por sí es la gran ventaja de un *trailing stop*. Desafortunadamente, con este método experimentará que los contratos salen del mercado por reveses o contramovimientos, lo que, lógicamente, es especialmente molesto si la tendencia sigue avanzando a partir de ahí.

Sobra decir que, si un revés elimina dos o tres contratos del mercado, siempre puede volver a comprarlos más tarde, pero solo recomiendo hacer esto a aquellos operadores que ya estén familiarizados con el método.

Un método más avanzado de gestión de riesgos es cubrir la posición. Con este método, el operador toma la operación opuesta al mismo valor básico subyacente, o en un instrumento correlacionado, para así proteger la cuenta de pérdidas mayores. Como regla general, debe elegir igual cantidad de contratos de la que actualmente tiene su posición. Por ejemplo, si está largo en cinco contratos en el par de divisas EURUSD, cubrirá su posición con cinco posiciones cortas en el mismo mercado. En caso de que el EURUSD girase 180 grados contra sus expectativas, sus órdenes de *sell stop* (órdenes cortas) se ejecutarán gradualmente, ergo, "congela" su posición, por así decirlo. De esta manera, la pérdida es limitada. Es el resultado de la diferencia entre el precio de entrada de la posición larga y el precio de entrada de la posición corta.

Es importante saber que no todos los corredores de divisas le permitirán cubrir posiciones. Por lo tanto, si desea utilizar la operación de cobertura (*hedging*) como herramienta de gestión de riesgos, debe anticipadamente consultar con su corredor para saber si esto es posible.

Una vez que se ha construido la cobertura y la posición está "congelada", el operador tiene varias opciones. Puede cerrar la posición completa, incluida la cobertura y, en consecuencia, asumir la pérdida. En general, esta es la mejor solución, pero también puede realizar cierres parciales y operar con una posición reducida, si el mercado le señalase que se desarrollará nuevamente en la dirección deseada.

La operación de cobertura es un tema complejo, y la experiencia demuestra que no funciona para la mayoría de los operadores. Para la mayoría de ellos, los *stops* tradicionales continúan siendo la mejor solución. Veo la cobertura más como una especie de «freno de emergencia», que solo entra en acción cuando la posición realmente está en peligro y pudiese ocurrir una pérdida mayor. Desde mi punto de vista, solo quienes realmente saben lo que están haciendo deberían usar cobertura para proteger las posiciones abiertas.

Capítulo 6:

Qué hacer si el mercado va en la dirección equivocada

Sin importar qué tan bien prepare sus operaciones, de vez en cuando experimentará que una posición que actualmente ocupa no funciona como desearía. Quizás no se está moviendo en absoluto, y su posición de prueba cambia de apenas en el positivo a apenas en el negativo. Por supuesto, esta es la versión fácil. Puede cerrar la posición y esperar hasta que algo comience a realmente suceder, o la segunda opción: acercar más el *stop* a su precio de entrada con la esperanza de que el mercado, eventualmente, comience a moverse en la dirección correcta. Usualmente, usted será detenido. Es una consabida sabiduría del operador que las posiciones que entran inmediatamente en ganancias, generalmente, son las mejores. De no ser así, siempre tenga cuidado.

Por otra parte, no debe entrar en pánico si desde el inicio su posición va en la dirección correcta, ya es capaz de comprar tres o cuatro contratos, y de repente el mercado gira 180 grados. Las emociones, como el pánico, son una señal inequívoca de que, o su posición es demasiado grande o que este método no le va bien.

Si el mercado va en su contra por algunas horas o días, y las pérdidas se vuelven demasiado grandes, puede cerrar una parte de su posición en vez de apresurarse a cerrarla toda. Por ejemplo, pudiera vender los dos últimos contratos que compró y que ahora están perdidos, para después observar el mercado hasta que vuelva a estar a su favor. La gran ventaja de las entradas múltiples es que no necesita cerrar toda la posición cuando las cosas no van bien. Si solo tiene un contrato, sobra decir que tiene que salir por completo.

Cuando comience a trabajar con el método *scaling in - scaling out*, automáticamente aprenderá a convertirse en un gerente activo de sus posiciones. Esta técnica se basa en el entendimiento de que la entrada ideal a una posición no suele ocurrir. Como regla general, deberá ser paciente y dar tiempo a su primera posición para que sea rentable.

Vale decir que no todos los mercados de tendencia se desarrollan en línea recta, o sea, en una dirección. Es por eso que recomiendo operar en períodos de tiempo más amplios, como gráficas diarias o incluso semanales. Si su posición muestra una ganancia decente, y tiene cuatro o cinco contratos en el mercado, entonces no tiene necesariamente que vender cuando el mercado va en su contra durante unos días. Es cierto que este escenario es estresante para algunos operadores, pero debería ser capaz de resistirlo si quiere convertirse en millonario.

El único riesgo verdadero es la pérdida de su capital inicial. Como muy tarde, deberá actuar cuando entren las primeras llamadas de margen.

Dado que cada mercado evoluciona de manera distinta, no puede tenerse un anteproyecto para construir posiciones. Depende de usted decidir si su posición es simplemente demasiado grande o quizás demasiado pequeña. Su tarea, como gerente de su cuenta, es generar el máximo rendimiento con el mínimo riesgo. Si solo minimiza sus riesgos y no compra suficientes contratos, en caso de que el negocio vaya bien, viola la segunda parte de esta regla. Entonces se estará comportando como aquellos operadores que operan con una gestión de posición lineal. La fortaleza del método que aquí recomiendo es comprender que el éxito del mercado de valores no tiene que ver con tasas de éxito o entradas exactas. Tendrá éxito en el *trading*, si entiende que las ganancias ingresan asimétricamente. Si está en el camino correcto, su posición debería ser lo suficientemente grande como para desproporcionadamente poderse beneficiar. Su historial de negocio pudiese verse de la siguiente manera:

-270

-1.745

+ 200

-2.340

+ 14.230

-3.140

+ 490

-1.300

-2.580

+ 45.360

-378

-1.700

Y así, sucesivamente. Espero que entienda la idea. Las ganancias monstruosas solo sucederán si aprende a comprar consistentemente cuando está en el camino correcto.

Capítulo 7:

Conviértase a Global Macro

Puesto que recomiendo que los operadores utilicen este método para observar la evolución en los mercados globales, también deberíamos darle un vistazo a la estrategia que lleva este nombre. La Estrategia Global Macro es una estrategia de fondos de inversión, o fondos de cobertura, basada en los principios macroeconómicos de diferentes países o regiones. Por ejemplo, si el administrador del fondo cree que la Eurozona está entrando en recesión, pudiera vender en corto acciones o índices bursátiles de esta zona. Tiene a su disposición todas las herramientas que el sector financiero puede ofrecerle: valores, futuros, opciones, monedas, contratos a plazo (*forwards*), bonos o fondos de inversión cotizados (ETF, por sus siglas en inglés). Los fondos Global Macro, de hecho, crean posiciones basadas en eventos o cambios en los mercados financieros internacionales a nivel mundial.

Una de las operaciones más famosas de Global Macro fue la apuesta que hizo George Soros contra la libra esterlina en 1992 (por cierto, no comparto los puntos de vista políticos de Soros, pero lo admiro como inversionista). En ese entonces, Soros asumió que Gran Bretaña abandonaría el Sistema Monetario Europeo. Conforme a su análisis, tanto la inflación como la tasa clave de interés en el Reino Unido eran demasiado altas, lo que impactó negativamente en la economía británica. En el transcurso de varios meses, su fondo acumuló una posición corta de USD 10 mil millones en la libra esterlina. Para ese momento, esta era una posición enorme, incluso para un fondo de inversión profesional. Como sabrá, Soros no malgasta su tiempo en cosas poco importantes o de baja monta: sus jugadas son amplias. Al final, el Reino Unido se rindió y, de repente, abandonó el Sistema Monetario Europeo. La libra se depreció dramáticamente. Las ganancias de Soros superaron los mil millones de dólares, las mayores que, hasta ese entonces, un operador hubo logrado en una sola operación.

Los operadores Global Macro tienen una clara justificación de sus operaciones. Ahora bien, tal aproximación suena como si usted debiera, al menos, tener un título en economía o una división completa de especialistas proveyéndole un análisis en profundidad de la evolución en los mercados financieros, de los cuales usted, el operador, puede elegir la *crème de la crème*.

La verdad es que los administradores de estos fondos saben tanto como usted. Quizás tengan acceso a más datos. Tal vez son un poco más inteligentes (¡no estoy convencido de eso!), pero el hecho cierto es que estas personas están igual de preocupadas sobre si el precio del petróleo aumentará o no, o si el Reino Unido abandonará la UE o no, o si el presidente Trump ganará las próximas elecciones o no, y lo que esto podría significar para el dólar.

De hecho, usted tiene una ventaja sobre estos especialistas. No es responsable ante ningún cliente o inversionista cuando se trata de sus decisiones operacionales. Los clientes siempre pueden amenazar con retirar su dinero si su desempeño no es bueno, y eso puede costarle su trabajo. Usted no tiene ninguno de esos problemas. Puede simplemente especular sin miedo. Lo único que está arriesgando es el dinero en su cuenta.

Y, con respecto a la información disponible, tenemos demasiada en estos días. La Internet está llena de noticias, análisis y opiniones de los, así llamados, especialistas.

Yo me especializo en crisis. La razón de esto es simple. En algún punto sabrá de ella, bien sea mediante los noticieros o en alguno de sus blogs financieros en Internet. Las crisis ocurren una y otra vez, y a veces tienen plazos de entrega prolongados, brindándole todo el tiempo del mundo para descubrir y construir posiciones iniciales. Cuando, en 2010, Grecia derrapó, el país estuvo todas las noches en los noticieros (al menos en Europa).

Y no debería hacerlo demasiado complicado. Si hay una crisis en algún lugar, de cualquier modo sus opciones son limitadas. ¿Desea ir corto en la moneda del país, o prefiere vender en corto su índice bursátil más importante? ¿O ambos?

Tener, o no, estadísticas detalladas y datos sobre los problemas del país no hará su proceso de toma de decisiones más fácil; por el contrario, es más probable que lo paralice y, quizás, incluso le impida realizar la operación. Seguramente, hasta ahora, nadie se ha empobrecido en esta forma, pero tampoco se ha enriquecido. Puesto de forma sencilla: tendrá que aprender a ser un especulador que actúa internacionalmente, a pesar de la limitada información. Tal vez un especulador torpe al principio, pero a medida que acreciente la destreza, se convertirá en un especulador más experimentado, y ¿quién sabe? En algún momento, incluso podría ser tan hábil como Soros, Rogers o Paulson.

Capítulo 8:

Mire el "Cuadro Completo"

Siempre me sorprendo por el poco interés que muestran los operadores por los gráficos históricos. Si su actividad principal es el gráfico de 5 minutos, ¿por qué observar un gráfico diario de su mercado, y mucho menos uno semanal?

Pero si quiere apostar por tendencias mayores, entonces debería justamente hacer eso: estudiar gráficos a largo plazo. Puede encontrarlos en sitios web especiales, como finviz.com. Lo bueno de este sitio es el resumen que le ofrece de todos los mercados, a simple vista. Solo pulse en *"futures"* (futuros) y luego en *"charts"* (gráficos). Puede ver qué mercados están actualmente en una tendencia alcista o bajista, y cuáles van lateralmente. Finviz enumera los índices, productos, bonos y monedas más importantes. Es suficiente si visita este sitio una vez por semana y está al tanto de lo que en este momento sucede en los mercados.

Ahora bien, puede estarse preguntando si es absolutamente necesario estudiar el historial de precios de un mercado, no solo de los últimos dos o cinco años, sino, si estuviese disponible, también de los últimos 20 o 30 años, como algunos operadores hacen.

Conozco a un inversionista holandés que retrocede aún más en el tiempo. Una vez me invitó a su casa porque sabía que estaba involucrado en el mercado de valores. Después de conversar con una buena taza de café, me invitó a una habitación contigua decorada con mapas antiguos y una gran mesa de roble en el medio. Me pidió que me sentara, y entonces, repentinamente sacó varios cuadernos grandes y elongados de un armario y los colocó en la mesa de roble frente a mí. Resultó ser que él mismo había compilado estos libros con el mayor de los cuidados. "Solo hay una copia de estos en el mundo", dijo. No estaba muy seguro de si estaba bromeando o si había hablado irónicamente. De todos modos, me impresioné al comenzar a hojear uno de los cuadernos. Cada hoja representaba el historial del histórico de precios de un mercado. Tenía el Dow Jones, el AEX de Holanda; tenía bonos, productos y monedas. Era realmente fascinante porque algunos de sus gráficos se remontaban a más de 300 años en el tiempo.

Este operador sabía, por ejemplo, cuál era el precio del trigo en la época de la Revolución Francesa. Sabía el precio del café cuando se abrieron las primeras cafeterías en Londres y París, en el siglo XVII. Para el oro y la plata, necesitó dos páginas, porque esos gráficos se remontaban a más de 800 años.

Fue fascinante ver lo que este operador había reunido, en el trabajo más laborioso. Obtuvo esta información de una persona particular especializada en la presentación de tales gráficos a largo plazo.

Puede estarse preguntando cómo es posible tener tales historiales gráficos, especialmente porque el hábito de agrupar valores en un índice no se materializó hasta fines del siglo XIX, cuando Charles Dow inventó el Índice Dow Jones. Esto se hizo recopilando los datos bursátiles más importantes antes de la introducción del índice, por lo tanto, calculando el Dow Jones hacia atrás.

Al principio, pensé que su pasatiempo, como él lo llamaba, era en realidad una actividad de ocio, porque, ¿qué importa saber actualmente cuál era el precio teórico (recalculado) en dólares en la época de la guerra de Independencia de los Estados Unidos? El inversionista holandés parecía tomarlo todo muy en serio (los holandeses, como sabemos, inventaron el mercado de valores).

Y cuanto más hablaba con él acerca de esta o aquella evolución histórica en ciertos mercados, más me daba la impresión de que en verdad usaba sus gráficos para especular.

Por supuesto, tales cálculos debieran tratarse con cierta cautela. A medida que hojeaba sus cuadernos, repetidamente apuntó a un punto u otro en un índice, o gráfico de productos, y dijo: "Creo que nos tomará otros cuatro o cinco años alcanzar ese nivel. Entonces se volverá interesante". Pude ver un pequeño brillo en sus ojos al pensarlo. No dejó duda de que tenía la paciencia de esperar cuatro o cinco años antes de invertir en este mercado o aquel.

Evidentemente, no se necesita hacer una investigación histórica tan extensamente como lo hizo este inversionista holandés, pero yo estaba un poco celoso de su método. Tiene una perspectiva, pensé. Podía imaginarlo sentado, de vez en cuando, en su mesa de roble, inclinándose sobre sus gráficos, quizás pensando: "Está bien, esperemos otros dos años antes de hacer algo aquí."

Aprendí dos cosas de este hombre. Primero, paciencia. No solo había impreso sus gráficos (muy recomendable), sino que los guardaba como libros de arte para poder verlos con el respeto y la distancia necesarios a fin de pensar en su evolución. Esta "perspectiva dominical" le da la distancia necesaria para mirar algo apaciblemente. Esto apenas es posible en una pantalla.

El ensueño de precios que ofrece tal perspectiva a largo plazo es aún más importante. Al mirar un gráfico horario en el Dow Jones (una perspectiva de la que mi amigo holandés del mercado de valores solo podría reírse), ¿qué tan grande es este ensueño de precios? ¿Quinientos puntos? ¿Mil?

Este operador holandés consideró un Dow Jones de 25.000 puntos apenas como un paso intermedio en el camino hacia 100.000 puntos. (Cuando estuve con él, el Dow se mantuvo en 9.000, creo). Debido a su visión histórica, tenía este precio irreal. No pudo decirme exactamente si alcanzaríamos los 100.000 en 2040 o 2045, pero estaba bastante seguro de que sucedería en ese período.

Le estoy contando esto porque muestra que, sin tales fantasías de precios, no puede convertirse en un especulador exitoso. Tiene que ver a vuelo de pájaro y olvidarse de las idas y venidas diarias en el mercado de valores. Todo esto es solo ruido, y ocurre para confundirlo.

Para especular, se necesita una mente clara y una perspectiva que trate más con gráficos semanales y mensuales de un mercado que con gráficas horarias o incluso unidades de tiempo más cortas. Si desea saber dónde está el dinero en el mercado de valores, ahí es donde lo encontrará, en los gráficos semanales y mensuales.

Y si está buscando señales de entrada o salida claras, le recomiendo usar los gráficos heikin ashi siempre que sea posible, porque también filtran el ruido diario de un gráfico. Aquí se muestran unos ejemplos.

Imagen 4: USDCAD, gráfica semanal 2014 - 2016

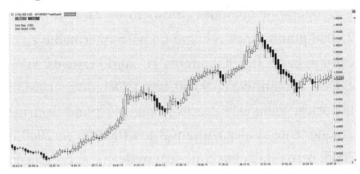

Observe este gráfico semanal del par de divisas dólar estadounidense/dólar canadiense. Cada vela representa una semana de operación. Creo que la tendencia en esta gráfica es clara. Tan pronto como cambie el color, puede cerrar la posición o incluso negociar en la dirección opuesta. Si vuelve a cambiar, también deberá cerrar o cambiar su posición. ¿Es así de fácil? Sí, lo es.

Imagen 5: Amazon, gráfica semanal 2015 – 2018

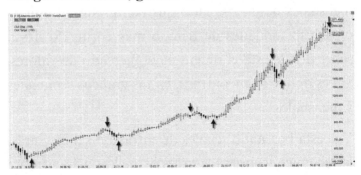

Este gráfico semanal de la acción de Amazon puede ser aún más claro. Obvio, Amazon estuvo en una clara tendencia al alza durante este período. Pero mire cuán fácil las velas heikin ashi pudieran haberle ayudado a construir posiciones significativas en ese mercado.

Imagen 6: Apple, gráfica semanal

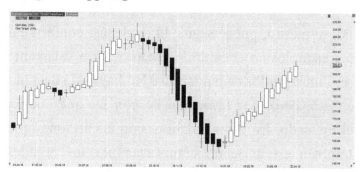

O un ejemplo actual. En el último trimestre de 2018, las acciones de Apple tuvieron un serio movimiento a la baja (Velas Heikin Ashi negras). Pero luego, después de surgir un *doji*, en enero de 2019 llegó la perfecta señal de entrada para una posición larga.

Capítulo 9:

Busque un catalizador

Por supuesto, puede seguir la tendencia conforme a los ejemplos en el capítulo anterior, pero solamente será un seguidor de tendencias. No hay nada de malo en eso, pero, por favor, hágalo con las que lideran el mercado. En otras palabras, con las acciones que también están siendo compradas por los grandes fondos. Será, entonces, que su especulación tenga una buena posibilidad de funcionar.

Sin embargo, en el pasado a menudo obtenía resultados realmente buenos al encontrar un mercado que comenzó a moverse debido a un cambio fundamental. ¿Qué más debiera mover a un mercado, a no ser alguna noticia dramática, positiva o negativa?

Para poder especular en tal dimensión, se necesita un catalizador. ¿Qué quiero decir con eso? Un catalizador es un evento, o desarrollo, en un mercado que básicamente cambia la percepción de los jugadores involucrados.

De ahí, que este no es un mensaje que presionará el precio hacia arriba o hacia abajo en un pequeño porcentaje a corto plazo. Ni siquiera un panorama negativo o la disminución en la calificación de una firma de análisis es suficiente para fundamentalmente cambiar la percepción de una empresa. Incluso las noticias "repentinas" (por ejemplo, la aprobación del mercado de un medicamento en una compañía biofarmacéutica) difícilmente lo ayudarán. Como regla general, el mercado abre con un gran vacío de precio después de noticias como esta. Por lo tanto, la noticia ya está tomada en cuenta en el precio. Claro, la acción podría seguir subiendo, pero no hay garantías.

Lo mismo se aplica a las noticias corporativas inesperadamente negativas. Aquí, la acción abre con un descuento a la baja. Por lo tanto, las malas noticias también se toman en cuenta.

Todos estos eventos son difíciles de predecir y, aún más, de negociar, a menos que lo que negocie sea el contramovimiento técnico. Describí cómo hacerlo en mi libro "Trade Against the Trend [*Apuesta contra la tendencia*]". Las noticias a corto plazo o inesperadas no le ayudan, realmente, al especular sobre grandes tendencias. Es por eso que pueden ignorarse con confianza.

Lo mismo vale para resultados sorprendentes de elecciones o referéndums, como fue el caso con el Brexit. Si, en vísperas de tal evento, toma una posición larga o corta en la libra esterlina, esto equivale a apostar. No se puede realmente especular sobre eventos dramáticos como el *Francogeddon* (flecha roja a la izquierda en la gráfica). Ese incidente apenas tomó 25 minutos, y nadie (o casi nadie) lo esperaba, especialmente porque, unos días antes, el Banco Nacional Suizo había anunciado públicamente que se mantendría en el nivel EURCHF de 1,20. Incluso los bancos centrales están a cargo de seres humanos y, como puede verse, pueden cambiar de opinión en cualquier momento.

Imagen 7: EURCHF, gráfica heikin ashi semanal, 2014 - 2018

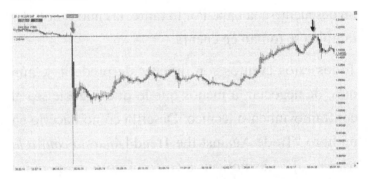

Por supuesto, como inversionista, pudiera haber gradualmente acumulado una posición larga en EURCHF, después de haberse asentado el polvo en la debacle del franco suizo. Era seguro asumir que el mercado había reaccionado desproporcionadamente y que corregiría la exageración (el EURCHF cayó de

1,20 a 0,96 en 25 minutos). En realidad sucedió, y el EURCHF en verdad alcanzó exactamente el borde inferior de la antigua marca SNB (Banco Nacional Suizo, por sus siglas en inglés) (flecha negra superior derecha en el gráfico). Empero, el par necesitó tres años para hacerlo. Esto viola nuestra regla de querer hacer crecer nuestra cuenta rápidamente. Tales inversiones son interesantes, pero generalmente toman más tiempo.

Cualquiera que me conozca un poco, sabe que a pesar de toda la información disponible en Internet, todavía gusto de leer el periódico. Pudiera pensarse que soy anticuado o un poco excéntrico. Permítame brevemente explicar la razón por la que me aferro a este hábito.

Para los lectores más jóvenes: un periódico es un medio de información impreso en papel ligero, que generalmente se encuentra colgando de un gancho en buenos cafés.

Al leer los periódicos, el especulador debería aprender a filtrar los mensajes que son importantes para él. Claro que es más fácil decirlo que hacerlo. El viejo especulador húngaro Andre Kostolany, a quien me refiero aquí, enseñaba que uno debe aprender a leer "entre líneas". Con ello quiso decir que las noticias, en sí mismas, generalmente no son interesantes por estar en ese momento en los periódicos, por lo que todos las conocen.

Al leer un artículo, una columna (una opinión) o un comentario, debería prestar atención a ciertas observaciones o apartes, puesto que pudieran contener información interesante que haya podido haber pasado por alto al simplemente hojear las noticias. Y es por eso que en realidad recomiendo ir de vez en cuando al café y tomar un medio pasado de moda como un periódico, porque todavía se necesita traer ese elemento necesario de lentitud para siquiera poder reconocer tal información. Desafortunadamente, ya no pueden fumarse cigarros en la mayoría de los cafés (una decisión débil a mis ojos), pues eso reduciría su ritmo de lectura aún más. Si los fines de semana tengo tiempo para hacer esto en la terraza de mi casa, a menudo encuentro esa gentil información: pequeños comentarios o apartes interesantes que llaman mi atención como especulador. Son exactamente estas acotaciones las que pueden poner en marcha un proceso de pensamiento.

Por ejemplo, la pregunta pudiera ser: ¿qué efecto pudiera tener este evento en este o aquel mercado?

Como ejemplo actual (febrero de 2019) podría aplicar el llamado *dieselgate.* Varios fabricantes de automóviles (especialmente Volkswagen) llevaron a cabo manipulaciones ilegales a objeto de eludir los límites reglamentarios para las emisiones de escape de los vehículos. Esa es la noticia.

Ahora bien, como especulador, es su trabajo pensar acerca de lo que tal evento pudiera significar para el mercado de valores. Por supuesto, la idea inmediata es vender en corto las acciones de los fabricantes de automóviles afectados. Aquí, el principal candidato fueron las acciones alemanas de Volkswagen, uno de los principales actores en el escándalo. Aun así, al observar el gráfico de esta acción, uno inmediatamente se da cuenta de que el mercado incluyó "la noticia" en muy poco tiempo. En solo tres días, las acciones cayeron de 168 a 105 euros en la Bolsa de Valores de Frankfurt.

Así que aquí tampoco las noticias son de mucha ayuda. El mercado de valores reacciona inmediatamente y solo los operadores inteligentes son capaces de beneficiarse de tal evento. Es así, que las acciones de Volkswagen no tenían mucho valor en términos de especular sobre el escándalo del diesel. Como Kostolany acertadamente señaló: "Si solo lee los titulares o los mayormente aburridos informes anuales, solo aprenderá aquello que ya todos saben."

Entonces, en relación con un evento de tal dimensión, debe profundizarse un poco más en caso de quererse encontrar algo en lo que sea interesante especular.

Y, de hecho, hubo un especulador indirecto en los meses posteriores a que el dieselgate apareciese en las noticias. Dado que este escándalo gradualmente dejó en claro que los vehículos diesel habían caído en desgracia, debía existir otra tecnología automovilística que se beneficiara. Al principio, uno piensa obviamente en vehículos eléctricos, pero ese es aún un mercado muy joven. Aquellos que pensaron en forma lógica, llegaron a la conclusión de que, inicialmente, se comprarían más automóviles a gasolina. El aumento en la demanda de automóviles de gasolina eventualmente tuvo consecuencias para el metal precioso paladio, necesario para los convertidores catalíticos. Las emisiones de gasolina se limpian con convertidores catalíticos de paladio y las de diesel con convertidores catalíticos de platino. Dado que las regulaciones de emisiones a nivel mundial, pero especialmente en China, se habían vuelto más severas, se requería una mayor proporción de paladio por convertidor catalítico. Los resultados pueden observarse en la gráfica del paladio. La flecha marca septiembre de 2015, cuando aparecieron las noticias del dieselgate. Como puede verse, tomó cierto tiempo para que el mercado cambiase, pero entre los actores del mercado, gradualmente, prevaleció la percepción de que había tenido lugar un cambio fundamental. Los inversionistas también tuvieron sobrado tiempo para posicionarse en el mercado. Verá, la nueva tendencia al alza en el paladio solo se hizo notoria gradualmente. En este caso, el catalizador de una tendencia del mercado de valores fue, literalmente, el convertidor catalítico...

Imagen 8: Paladio 2015 -2019

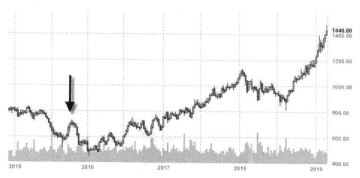

Para comparación, la gráfica de platino en el mismo período:

Imagen 9: Platino 2015 - 2019

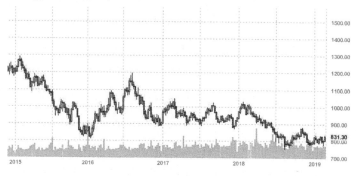

Así que necesita un catalizador, un evento que "mueva" o fundamentalmente realinee un mercado por cierto tiempo, como fue el caso del paladio.

Por supuesto, el catalizador también puede tener una motivación política, por ejemplo, cuando son inminentes las elecciones presidenciales en los Estados Unidos. Los presidentes o candidatos presidenciales estadounidenses tienden a clasificarse como favorables al mercado de valores u hostiles a él. En la víspera a tales elecciones, el mercado de valores puede subir, con la esperanza de que el candidato deseado (para los inversionistas) gane.

Pero incluso después de las elecciones, puede subir. Esto sucedió, por ejemplo, en noviembre de 2016, cuando para sorpresa de muchos Donald Trump se mudó a la Casa Blanca. Por cuanto esto no era lo que la mayoría de los analistas esperaban, repentinamente recordaron las atractivas promesas electorales de Trump para los inversionistas, tal como los generosos recortes de impuestos y todo tipo de desregulación. Los resultados de las elecciones fueron seguidos por un verdadero "repunte Trump" en las acciones estadounidenses.

Las guerras también pueden convertirse en un catalizador. A medida que el mercado de valores anticipa eventos futuros, frecuentemente reacciona o reacciona exageradamente en la víspera del evento esperado. Este fue el caso en las semanas previas a la segunda guerra de Irak, a principios de 2003. Las amenazas y el ruido de sables en los medios de comunicación causaron que los precios se desplomasen. Cuando la guerra empezó y las primeras bombas cayeron sobre Bagdad, el mercado de valores consideró el asunto terminado y comenzó a subir nuevamente.

Este fenómeno puede observarse una y otra vez. Sucedió lo mismo incluso en la víspera a la Segunda Guerra Mundial. Cuando la amenaza de guerra fue inminente, en 1939, el mercado de valores cayó. Tan pronto como comenzó la Segunda Guerra Mundial, las acciones comenzaron a subir nuevamente. Este fenómeno está descrito por el término francés *"fait accompli"*. En español: hecho consumado. Este momento acontece cuando todas las noticias relevantes se incluyen en el precio.

¿Por qué ocurre eso? Básicamente, la especulación solo puede basarse en un evento futuro. O sea, algo que *pudiera* suceder en el futuro (cercano o distante). Por lo tanto, un especulador entendido debería dirigir su atención a los mercados en los que se anticipa, se espera o, incluso, se teme un evento futuro. Si todas las noticias han sido incluidas en los precios y por el momento no se esperan más noticias, ¿qué queda que pudiera mover los precios? Y, claro, cuanto más dramático sea el evento, o pareciese ser, más se exagerarán los precios, hasta que el mercado se rinda por completo (a la baja, como en la crisis financiera de

2008) o se dispare, como si no hubiera un mañana (ver Bitcoin 2017). Sobra explicar que en tales mercados es donde puede hacerse la mayor cantidad de dinero.

Los eventos no siempre tienen que ser tan dramáticos. Si los inversionistas esperan que una compañía entregue excelentes resultados trimestrales, comprarán las acciones de esta por adelantado. En general, esta es una buena oportunidad para una especulación que dura unas cuantas semanas. Este método funciona particularmente bien con los líderes actuales del mercado (en otras palabras, a partir de 2019, las Apple, Alphabet, Facebook y Amazon de este mundo). El especulador debería cerrar su posición el día antes de que salgan los números trimestrales. Muy a menudo, los inversionistas venderán las acciones el día de la publicación, aun si los resultados cumplen con las expectativas de los inversionistas, o por esa misma razón. ¡*Fait accompli*!

Evidentemente, también sucede lo contrario. Si los inversionistas son pesimistas acerca de los números, venden las acciones con antelación a su publicación. Si los números son mejores (o menos dramáticos) de lo esperado, esta noticia debe tomarse en cuenta en el precio. A menudo, la acción salta y sube por algunos días. Tal evento es bastante menos adecuado para el método mencionado aquí, pero puede ser una buena oportunidad para operadores orientados a corto plazo.

El fenómeno también puede ser observado con respecto a los anuncios de los bancos centrales. Si un jefe del banco central anuncia que va a elevar las tasas, y este evento es ampliamente anticipado por los actores del mercado, frecuentemente comenzará una recuperación de varias semanas, a pesar de que los aumentos de las tasas de interés generalmente son negativos para las acciones. Aquí también: *fait accompli*. Si todos saben que el banco central aumentará las tasas de interés, entonces esta noticia negativa (para las acciones) ya está incluida en el precio. De tal forma que los precios de las acciones pueden subir nuevamente. Como se ve, el mercado de valores posee su propia lógica que necesita estudiarse si se quiere ser exitoso.

¿Por qué la tasa de interés es tan importante para el mercado de valores? El incremento en las tasas de interés afecta el crecimiento monetario, y el factor dinero es el oxígeno que mantiene vivo al mercado de valores. Cuando, a raíz de la crisis financiera, los principales bancos centrales del mundo redujeron sus tasas de interés más significativas a casi el 0%, el dinero se volvió barato y procuró formas de ser invertido. Por ello, en los años posteriores a esta medida, la gente construyó casas alocadamente con todo este dinero barato, y se invirtió mucho en acciones, porque con los dividendos, podía al menos obtenerse una pequeña ganancia.

Capítulo 10:

Errores de los que aprender

Después de mi operación en plata, quise repetir mi golpe. Seré sincero. Desde este éxito, he cometido varios errores que no quiero ocultarles. Los comento aquí para que el lector pueda aprender de ellos y, con suerte, no los repita. No me avergüenzo de haberlos cometido, aunque todavía hoy estoy un poco enojado por causa de ellos. Pero espero que el problema sea el combustible que me asegure estar en el lado correcto cuando llegue la próxima oportunidad.

Aun cuando los eventos de aquella vez (crisis financiera de 2008) ocurrieron hace más de 10 años, sigue siendo interesante recordarlos. El estado de ánimo en ese momento era tan malo, que asumí que cada corrección en oro y plata era una oportunidad para comprar. Ni siquiera cerca. Después de que la plata alcanzó un máximo a principios de marzo de 2008, se mantuvo cayendo durante el transcurso de ese año. Una y otra vez, compré plata y siempre tuve que cerrar mis posiciones con pérdidas. El resultado fue que llegó un punto en el que ya no me atrevía a comprar plata, y entonces sucedió lo inevitable. A fines de 2008, la plata tocó fondo en USD 9 y luego comenzó nuevamente a subir en diciembre. Estaba tan molesto por mis pérdidas que no me atreví a comprar. Un gran error, como descubrí más tarde, porque diciembre de 2008 fue la señal de inicio de uno de los mayores mercados alcistas de plata jamás vistos. La plata subió de USD 10 a casi USD 50 en poco más de dos años, ¡un aumento de más del quíntuple! Aunque negocié plata en este período, nunca fui realmente capaz de beneficiarme de esta megatendencia. Y todo eso, a pesar de poder aprovechar una buena parte del movimiento alcista en 2007-2008. Pero, el movimiento subsecuente en plata fue diez veces mayor. Imagínese lo que hubiese podido haber ganado en ese mercado.

Imagen 10: Plata 2006 - 2019, gráfica mensual

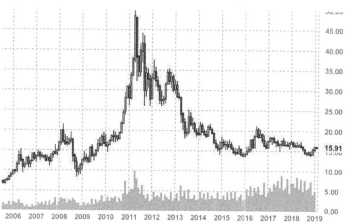

Como si todo eso no hubiese sido suficiente, traté de ir demasiado largo en plata después de que alcanzó su máximo en abril de 2011. En el gráfico, puede verse claramente cuán exitoso fui con esto. Decir que estuve un poco retrasado con mi operación de plata sería una verdadera subestimación. Estaba tan obsesionado con la plata que no vi nada más. Pensé que todo el mundo financiero estaba en una especie de crisis permanente después de la llamada crisis financiera de 2008, por lo que invertir en oro y plata debía valer la pena. Ni siquiera cerca. El mercado alcista de la plata había terminado, y lo único correcto por hacer habría sido tomar una posición corta, pero no podía pensar tan lejos en ese momento. Estaba concentrado en la "crisis", así que, ¡plata y oro largos! ¡Un gran error!

La lección que aprendí de esto suena simple. Si ha tenido un gran éxito en un mercado, es mejor no negociar en él por un tiempo, sin importar lo que pase. Como regla general, tomará la posición incorrecta la segunda vez y perderá dinero. La razón es simple. Emocionalmente, se depende demasiado de ese mercado. Ha sido bueno para usted y le ha dado una ganancia decente. En ese momento, en mi experiencia, lo más peligroso es volver a entrar. Es mejor buscar una oportunidad en otro mercado.

Imagen 11: Dow Jones 2007 - 2019, gráfica mensual

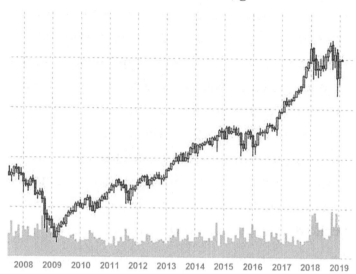

2008 2009 2010 2011 2012 2013 2014 2015 2016 2017 2018 2019

Como si esta picadura de aficionado no hubiese
sido suficiente, en los meses siguientes probé suerte
en los mercados de valores. Se habían recuperado
bien después del colapso de 2008. En 2011, el Dow
Jones casi había compensado las pérdidas de la crisis
financiera. Los mercados bursátiles habían estado
subiendo durante dos años. Influenciado por la crisis
del euro (que también fue la causa de la gran alza del
oro y la plata), todavía me encontraba en "modo de
crisis". No fui largo en los índices bursátiles... Fui
corto. Pensé que esta recuperación sería un error.
Mientras tanto, los bancos centrales habían bajado
las tasas de interés a cero, por lo que debí haber sabido
que los inversionistas no podían ganar dinero con

bonos gubernamentales. Cero capital para ingresos fijos generalmente significa que se deben buscar otros activos que, al menos, generen cierto rendimiento. Y qué podría ser más obvio que simplemente comprar acciones y ganar dividendos. Y así sucedió. Hemos estado en este mercado alcista desde marzo de 2009. (Para mayo de 2019). Las gráficas también lo muestran inequívocamente, especialmente las de los índices bursátiles estadounidenses. Pero en lugar de ir largo y simplemente comprar la tendencia, y ganar mucho dinero, ¡fui corto! ¡Qué error!

Le cuento esto porque estas estupideces no son tan inusuales. <u>A veces es realmente difícil simplemente hacer lo obvio</u>. De 2009 a 2019, tuvimos uno de los mayores mercados alcistas en valores de la historia. Así que fueron 10 años para ir largo y hacer dinero. A lo largo de los años, innumerables profetas del desplome han pedido el fin de este mercado alcista. "¡Es imposible!". "¡Todo se compra a crédito!". "¡Esta es una recuperación del banco central insustancial!". Indefinidamente, puede ampliar la lista de razones por las que no debe comprar acción alguna durante este tiempo.

Hubo un buen motivo por el que Jesse Livermore intentó, por todos los medios disponibles, bloquear sus oídos, especialmente contra los analistas: todos esos consejos, y quienes piensan que lo saben todo, en realidad no saben nada. Esto debe quedar claro. Al igual que Livermore, le recomiendo no escuchar a nadie y ciertamente no perder su tiempo con un sinfín de análisis y opiniones. Es difícil. No seguí mi propio consejo, y eso me costó mucho dinero. Crea lo que ve y no las opiniones de los demás. Es mejor observar la evolución de los gráficos a largo plazo. Si un índice bursátil ha estado subiendo durante dos años y continúa haciéndolo, ¿existe motivo para ir corto?

Capítulo 11:

Triunfando con el algodón

En 2011, fui incapaz de beneficiarme del mercado alcista de la plata, pero triunfé con otra especulación que se correspondía mejor con mi naturaleza escéptica. De ahí, la siguiente historia.

Una amiga mía, que para ese momento vivía en Berlín, tenía una pequeña empresa textil, con su sitio de producción en un pequeño pueblo en el estado federal de Brandeburgo, al este de Alemania. Este solo hecho me sorprendió, porque en 2010, con sus altas cifras de desempleo, no había muchas empresas textiles que pudieran producir en ninguno de los antiguos estados de Alemania Oriental. Más bien, uno hubiese esperado que los sitios de producción estuviesen en países como Bangladesh. La compañía de mi amiga fabricaba textiles industriales, principalmente ropa de trabajo hospitalaria. Era un nicho en el que había logrado imponerse a lo largo de los años con la ayuda de un equipo leal. Realmente la admiré por este logro. Involucrar a las personas en ese débil entorno económico mediante la fabricación de ropa. ¡*Chapeau*!

Nos reunimos para tomar una taza de café, y recuerdo que, de tanto en tanto, también hablamos de su compañía. A finales de 2010, me llamó preguntándome si tenía tiempo para conversar. Ella sabía que estaba involucrado en el mercado de valores. Sonaba inquieta al teléfono. Cuando nos encontramos, al día siguiente, parecía muy preocupada. Al principio pensé que su empresa se había quedado sin clientes y que tendría que despedir empleados. Eso había sucedido en el pasado. Sin embargo, resultó que su preocupación era bastante diferente. "Tengo varios pedidos de ventas", dijo, "pero no puedo despacharlos". "¿Por qué?", pregunté. "Normalmente, siempre eres puntual con tus despachos". "Sí", dijo ella. "Pero ese no es el problema. No puedo conseguir algodón. Estamos desesperadamente esperando una entrega, pero simplemente no llega, por lo que no podemos producir". "¿No tienes algodón?" Dije. "¿Cómo puede ser eso? El algodón es tan abundante como la arena en la playa."

Pensé que así era.

Nuevamente puso su cara de preocupación y luego comenzó a informarme sobre lo que estaba sucediendo en el mercado del algodón. Aparentemente, había una gran escasez de algodón. ¡Aparentemente! Cuando comenzó a explicarme la situación, recibí una pequeña lección sobre el mundo de las materias primas. A nivel mundial, el algodón se cosecha durante diferentes estaciones. Luego se procesa y se transporta a las hilanderías. En ese año hubo una cosecha débil en Pakistán, importante país productor. La demanda había crecido ininterrumpidamente en los años previos. Especialmente China, con su economía caliente, estaba hambrienta de todo tipo de productos, incluido el algodón. A ello se suma que hubo restricciones a la exportación, y como si no fuese suficiente, los productores de Pakistán e India comenzaron a acaparar sus suministros, debido al continuo aumento de los precios. "Simplemente ya no están entregando el algodón", dijo mi amiga en tono desesperado. "Prefieren llenar sus almacenes, con la esperanza de que los precios aumenten aún más. La situación es desesperada."

De hecho, en un año, el precio del algodón en la Intercontinental Exchange (ICE), en Nueva York, había subido en más del 160%. Al momento en que mi amiga me puso al tanto del problema, el precio de una libra de algodón estaba en USD 1,68. Al mirar la gráfica en casa, claramente vi su problema. En los años precedentes, el precio había fluctuado entre USD 0,40 y USD 0,80 por libra. En ese momento no había problema para su obtención. De hecho, siempre había suficiente algodón, pero la demanda excepcional de China y la débil cosecha habían alimentado el precio. Era una situación extraordinaria. Cuando los productores comenzaron a acaparar, parecía no haber algodón disponible. Esto fue, por supuesto, una escasez artificialmente inducida, pero llevó a las pequeñas empresas textiles, como la de mi amiga, al borde de la insolvencia.

Para un especulador, tal información vale su peso en oro. Podía leer la gravedad de la situación (y la total exageración del precio) en los ojos de mi amiga. Su desesperación en realidad me lo contó todo. Tenía órdenes en sus libros. Demonios, el cliente estaba esperando su ropa de trabajo, pero ella no podía producir, por no decir despachar, porque ya no podía obtener algodón, aunque los almacenes de los productores en India y Pakistán estaban repletos. Esta información me fue servida en bandeja.

Imagen 12: Algodón, 2005 - 2019, gráfica mensual

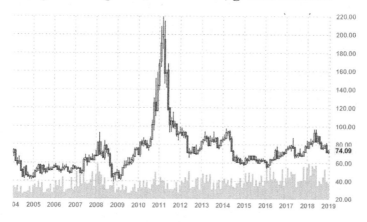

A medida que comencé a estudiar la gráfica de futuros de algodón en las últimas semanas de 2010, me di cuenta de que había llegado demasiado tarde a la fiesta. El gráfico ya había construido una curva parabólica. Entrar en la última fase de un mercado alcista no me pareció aconsejable. Dado que, de todos modos, para ese momento yo era bastante bajista, decidí seguir observando los futuros del algodón y, eventualmente, ir corto.

En enero de 2011, el precio del algodón finalmente subió por encima de USD 2,00, alcanzando un máximo de USD 2,25 en febrero. Observé el futuro diariamente para ver signos de debilidad. Cuando me di cuenta de que un precio por encima de USD 2,00 no sería sostenible, fui corto con una primera posición, justo por debajo de USD 2,00. La posición inmediatamente entró en ganancia y nunca estuvo en peligro. Animado por esta confirmación, abrí más posiciones cortas, las cuales también entraron relativamente rápido en el positivo. La volatilidad era extrema y la relación ganancia - pérdida (PL, por sus siglas en inglés) en mi plataforma cambiaba, favoreciéndome o desfavoreciéndome, más rápido de lo que podía imaginar. ¡No es para apocados!

Como era de esperarse, debido al retorcido "estado de ánimo", llegaron las primeras noticias bajistas para el algodón. En lugar de la demanda esperada de

120 millones de toneladas para 2011, las expectativas fueron revisadas a la baja. Solo se esperaban 113 millones de toneladas. La demanda comenzó a desacelerar, ante todo de China. Como si eso no fuera suficiente, llegaron los primeros informes de muy buenas cosechas. India esperaba un aumento en la producción de 255.000 toneladas. Noticias similares vinieron de África occidental, Turquía y Grecia. Claro está, esa no fue una noticia que realmente le diera alas al precio del algodón, por así decirlo. Al contrario. Aunque hubo una corrección técnica en abril, me mantuve corto e incluso expandí mi posición. Se confirmó mi suposición de que el movimiento ascendente de 2010 se corregiría por completo. En junio, el precio finalmente alcanzó el nivel de USD 1,00. El precio, consecuentemente, se había reducido a más de la mitad. Gradualmente, nuevamente empecé a comprar contratos para cerrar mi posición. Una vez más, fue un viaje increíble, pero conseguí obtener una ganancia decente con el desplome del algodón. Nunca había sido capaz de negociar una tendencia así de bajista y salir sintiéndome bastante satisfecho, aunque mi entusiasmo en cierto modo fue moderado debido a mis previas malas inversiones en el mercado de valores.

Llamé a mi amiga y le pregunté cómo iban las cosas. Dijo que todo estaba bien, que nuevamente el algodón estaba disponible y que su compañía podía producir y despachar a tiempo.

Aunque es poco probable que mi posición corta de algodón haya tenido mucha influencia en el precio, modestamente ayudé a bajarlo. Esto corrigió la burbuja, que ultimadamente fue el resultado de una escasez artificial. Esta vez, los verdaderos malvados especuladores ciertamente no fueron los vendedores cortos, sino claramente los productores codiciosos que acapararon más y más algodón, debido al aumento de los precios, aumentándolo aún más con ello. La crisis del algodón de 2010-2011 fue realmente potencialmente fatal para la compañía de mi amiga. Por supuesto, no puede considerarse su informe como información privilegiada sobre un mercado en particular. Ella estaba demasiado indefensa en ese momento. Pero la historia me enseñó que tales "crisis" bien pueden contener información valiosa, especialmente información emocionalmente vívida que pudiera ofrecer la oportunidad de una especulación exitosa. Vale la pena ir por la vida con los ojos y oídos bien abiertos.

Capítulo 12:

Mi operación en rublos

Es bien sabido por todos los operadores que el precio del petróleo es un factor importante en el escenario mundial. Es, por lo tanto, esencial vigilarlo, así como otros importantes indicadores, tales como el dólar o la curva de rendimiento de los bonos del gobierno estadounidense. Cada vez que se retira capital en alguna parte, y fluye hacia otro lugar, a menudo es debido a que algo importante está sucediendo en uno de esos indicadores.

Imagen 13: Precio del Petróleo, gráfica mensual 2003 - 2019

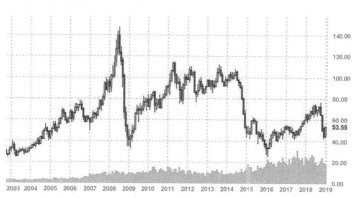

Entre 2007 y 2008, el precio del petróleo estuvo en un mercado alcista espectacular (una excelente oportunidad para hacer una fortuna, dicho sea de paso). Después de subir a más de USD 140 por barril, el precio se desplomó por debajo de USD 40 por barril, posterior a la crisis financiera. Fue un desplome sin precedentes que solo tomó seis meses (nuevamente, una excelente oportunidad para hacer una fortuna con posiciones cortas). Entre 2009 y 2014, el precio del petróleo se recuperó y una vez más alcanzó un precio de USD 100. A partir de ahí, todo quedó en silencio. El petróleo pareció estabilizarse a ese nivel. Técnicamente hablando, formó un triángulo simétrico extendido. Si me pregunta, este no es un patrón técnico muy confiable. Hubo pequeños intentos de escape al alza, todos los cuales fallaron. Yo ya estaba acechando en las sombras, porque supuse que el petróleo eventualmente escaparía para alcanzar los máximos de 2008. Sin embargo, esto no sucedió, y el precio continuó yendo lateralmente, en torno al nivel de USD 100, durante los primeros dos trimestres de 2014.

Y como es usual que suceda en la bolsa de valores cuando la expectativa de los actores del mercado (incluyéndome) no se cumple, ocurre lo contrario. El petróleo escapó de este patrón lateral a la baja en el verano de 2014. El colapso no fue tan espectacular como en 2008, pero aun así, una caída de USD 100 a USD 27 es espectacular. ¡Eso es una pérdida de valor del 73%!

Debo admitir que estaba completamente sorprendido por este desplome. Una vez más, fui burlado por mis expectativas. El precio del petróleo simplemente tenía que subir porque "el mundo" necesitaba más petróleo y el suministro estaba volviéndose más escaso (pensé). Podía ver cómo diariamente bajaba el precio del petróleo. Eso es con lo que se tiene que lidiar cuando se tienen ciertas expectativas, y luego sucede lo opuesto. Solo pude apartarme y observar. Pero se puso aún peor. No entré (ni siquiera con una pequeña posición de prueba), porque supuse que era un escape falso. Esperaba que los actores del mercado repentinamente dieran un giro de 180 grados. Al final, esto no sucedió. Fue un verdadero escape, y el precio del petróleo continuó cayendo.

Por supuesto, los analistas pronto dieron en el clavo con sus explicaciones. ¡Había más petróleo del que todos pensaban! ¡Qué interesante! Como si este petróleo no hubiese existido en 2012 y 2013, cuando estaba estable por encima de USD 100 por barril. La segunda explicación también parecía obvia. Esta vez, los estadounidenses, más específicamente el auge del petróleo de esquisto bituminoso, habían provocado el colapso del precio. En apenas unos años, Estados Unidos se convirtió en el mayor productor de petróleo del mundo, liberándose de su dependencia de Arabia Saudita. Todo esto pareció llamar la atención de los actores del mercado en julio de 2014, aunque les era indiferente lo que los estadounidenses estuvieron haciendo en mayo y junio. Verá, los analistas siempre tienen listos sus modelos explicativos, pero no los sacan del cajón hasta que el mercado comienza a confirmar sus suposiciones.

Ese otoño de 2014, sopesé sobre cómo poder aún beneficiarme de este movimiento. La oportunidad llegó, pero desde donde no me lo esperaba. Debería haberlo sabido, pero no caí en cuenta hasta que aparecieron las primeras noticias acerca de que el rublo ruso estaba en problemas.

¿Qué tiene que ver el rublo con el petróleo? Bastante. Dos tercios de las exportaciones rusas son petróleo y gas natural, y el precio del gas está principalmente engranado al del petróleo. La mitad de los impuestos rusos provienen de estas fuentes.

También hay otros países que son altamente dependientes de los precios del petróleo, por ejemplo, Canadá. Y, de hecho, el dólar canadiense también cayó en el otoño de 2014 frente a la mayoría de las otras monedas, especialmente el dólar. Una posición larga en el **USDCAD** parecía la consecuencia lógica (dólar estadounidense largo, dólar canadiense corto).

Pero por alguna razón, yo estaba más interesado en el rublo ruso. Era una moneda que no había negociado antes. No pertenece a lo que puede llamarse instrumentos comerciales habituales, básicamente porque el diferencial en los mercados *spot* es demasiado alto. El rublo, de hecho, se había depreciado contra el dólar en septiembre y octubre.

Imagen 14: USDRUB, gráfico diario, septiembre - diciembre 2014

El par USDRUB aumentó de 35,00 a 42,00-43,00 en septiembre-octubre de 2014 (en el caso del tipo de cambio USD - rublo ruso, el aumento de los precios significó que el dólar estadounidense se estaba apreciando y el rublo, depreciando). Había habido una tendencia al alza, pero aún no existían señales de que estuviese emergiendo un frenesí de compra (frenesí de venta para el rublo). Sin embargo, esto cambió a principios de noviembre, pues la volatilidad aumentó significativamente y el USDRUB repentinamente subió a 48,00. A finales de octubre, compré una primera posición de prueba, a 43,00, y sentí que mi suposición acerca de que el rublo podría continuar depreciándose había sido confirmada.

Es obvio que había razones para la caída del rublo. Occidente impuso sanciones económicas a Rusia a raíz de la crisis de Ucrania (Crimea), las cuales ahora comenzaban a surtir efecto. Bueno, la crisis del rublo de 2014 no fue la primera. Durante su última crisis, en 1998, ya todo se trataba del petróleo, y esta vez, el colapso adicional del precio del petróleo, en el último trimestre de 2014, pareció acelerar la caída del rublo. La oligarquía rusa retiró su dinero de sus cuentas rusas y lo colocó en dólares, francos suizos o euros. La salida del capital inteligente (*smart money*), acelera la depreciación de la moneda.

A lo largo de noviembre, aunque el rublo mayormente fue lateral, comencé a expandir mi posición. Incluso tuve algunas pérdidas, pues a fines de noviembre el USDRUB cayó a 45,00. Estaba pensando en reducir mi posición cuando, en los últimos días de ese mes, el USDRUB comenzó a subir hacia la marca de 50,00. Empecé a comprar nuevamente. Mientras tanto, el precio del petróleo había caído por debajo de USD

70 y se dirigía hacia la marca de USD 60. Durante las dos primeras semanas de diciembre, el USDRUB continuó subiendo, alcanzando los 55,00, lo que me llevó a ampliar, aún más, mi posición corta en el rublo. Ahora tenía ganancias serias.

Finalmente, el 12 de diciembre, se conquistó el nivel de 55,00 y, en la tercera semana de diciembre, el USDRUB parecía dirigirse hacia 60,00. ¡60 rublos por dólar! En Rusia se formaron colas frente a las agencias de cambio, porque todos querían deshacerse de sus rublos. La gente comenzó a gastar su dinero y compró dispositivos electrónicos, automóviles y alimentos no perecederos. Un escenario montado, similar a la situación en 1998, cuando los rusos perdieron la confianza en su propia moneda.

De más está decir que el banco central ruso intervino: los bancos centrales siempre son los actores más importantes en este asunto. El 11 de diciembre, elevaron la tasa clave de interés de 9,50 a 10,50%. Los banqueros centrales intervinieron, aunque ya en octubre habían aumentado dicha tasa en 150 puntos debido a un aumento esperado en las tasas de inflación. Contrario a sus expectativas, esta medida no pudo detener la caída del rublo. El mercado había, obviamente, esperado un movimiento mayor en la tasa de interés. El rublo cayó aún más. Aunque hubo rumores de que el banco central había intervenido varias veces en el mercado de divisas, eso no detuvo su movimiento a la baja.

Después del fin de semana, el descenso del rublo continuó. El par USDRUB subió a 64,00. El alza de las tasas del jueves anterior no tuvo efecto. Seguí comprando y esperando. El lunes por la noche, el presidente Putin finalmente intervino, obligando al banco central a elevar la tasa clave del 10,5 al 17,00 por ciento. Ese fue un gran aumento en la tasa de interés. Fue la misma medida que se había tomado en 1998 para contener la crisis del rublo de la época. El martes, después de la intervención de Putin, la volatilidad era una locura. El USDRUB oscilaba entre 60 y 78. En cuestión de minutos, yo era más rico o más pobre por miles. Estaba claro que el mercado había estado esperando a que Putin interviniera, solo que nadie sabía cómo reaccionaría el rublo. Observé con fascinación, puesto que el USDRUB subió a 78,00. Por tal motivo, tuve inmensas ganancias con mi posición. Sin embargo, durante el día, el par cayó bruscamente y me hizo caer en cuenta de que podríamos estar experimentando el acto final del drama. He aprendido que, si el gráfico se torna parabólico y la volatilidad demencial, generalmente es una señal de que podríamos haber visto los máximos.

Empecé a vender, reconozco que no a los mejores precios. Todos, por supuesto, quieren vender en lo más alto, aunque debe quedar claro que esto es imposible. Al final, nadie sabe dónde estará el máximo de este movimiento. Comencé a sistemáticamente escalar mi posición. Después de todo, había realizado ganancias considerables. Sentí que la radical intervención de Putin podría ser un punto de inflexión. El rublo ya se había devaluado vastamente, y la posibilidad de sanciones económicas por parte de Occidente y el colapso del precio del petróleo fueron tomados en cuenta.

Mantuve parte de la posición, en caso de que incluso esta medida drástica no funcionara. Esta apreciación demostró ser incorrecta. Aunque nuevamente, el miércoles, el USDRUB subió por encima de 70,00, no pudo mantener el nivel el jueves y viernes, así que cerré la posición completamente.

Llegados a este punto, permítaseme decir que algunos lectores pueden considerar este tipo de especulación como moralmente censurable. Puede verse de dos formas. Puede considerarse una especulación contra el rublo como un acto censurable, en detrimento del pueblo ruso, o puede considerarse la devaluación del rublo como una corrección necesaria del mercado para obligar a los líderes rusos a tomar medidas para recuperar el control de la desenfrenada inflación.

Después de todo, tal dependencia del crudo no es una base saludable, a largo plazo, para una economía estable en Rusia. El mercado está obligando a Rusia a reconsiderar esta posición. Una cosa está clara: mientras exista esta dependencia, cualquier caída en el precio del petróleo pondrá al rublo bajo presión. La devaluación del rublo fue necesaria para la economía rusa, tanto como la baja en el precio del algodón tuvo un efecto positivo en la industria textil (fue en detrimento de los productores codiciosos que hubiesen estado felices de ver los precios del algodón aún más altos).

Puede argumentar lo que quiera. Como especulador, no es su trabajo salvar la economía rusa. Siempre hay dos partes tanto en el negocio como en la especulación: compradores y vendedores, y en tanto usted considere moralmente reprobable que en cada transacción deba haber un vendedor, no habrá entendido por qué el mercado de valores siquiera es necesario. A veces uno está de un lado y otras, del otro. Si quiere ganar dinero, su trabajo es estar en el lado correcto más veces de las que está en el equivocado. ¡Eso es todo!

Capítulo 13:

¡Agradecimiento a los presidentes Erdogan y Trump!

En 2017, ya tenía el ojo puesto en la lira turca. La tasa de inflación en Turquía había aumentado al 13%. Eso es alto, pero no es inusual para una "economía emergente", como lo es Turquía. La lira comenzó a depreciarse en 2017, pero todo esto tuvo lugar dentro de un rango razonable.

Imagen 15: EURTRY, febrero - septiembre 2018

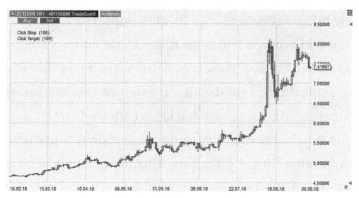

A partir de marzo de 2018, la lira comenzó a depreciarse un poco más y en abril de 2018, cuando saltó por encima de las 5 liras por euro, fui largo con una primera posición en el par de divisas EURTRY (con el par euro-lira turca, la subida de precio significa que el euro se aprecia y la lira turca se devalúa). Tuve que ser paciente. La lira giró en torno a los 5.000 por el resto del mes e incluso cayó por debajo de ella hacia finales del mismo, poniendo algo en rojo mi posición. Siendo que la pérdida permaneció manejable, mantuve la posición.

En mayo, la devaluación de la lira se aceleró. Tan pronto como el nivel de 5 liras por euro fue reconquistado, compré una segunda posición. Fui recompensado por mi coraje, porque el par pronto subió en la dirección de 5,500, lo que me generó varios miles de euros en ganancias.

Las causas de la devaluación fueron variadas, como siempre. Probablemente lo más importante para mí fueron las ascendentes tasas de interés en los Estados Unidos. En los meses previos, esto había llevado a importantes salidas de capital de los llamados "mercados emergentes" hacia los Estados Unidos. Este fue especialmente el caso de países como Sudáfrica, Argentina, Brasil y Turquía. Cuando el banco central de los Estados Unidos, también conocido como Sistema de la Reserva Federal (Fed), comenzó a elevar las tasas de interés, me di cuenta de que esto conduciría a una devaluación general de las monedas que hasta ese momento habían vivido de la política de bajas tasas de interés de los Estados Unidos. Ante todo, la economía turca se benefició de estas entradas de capital. El déficit en cuenta corriente de Turquía fue (y es) especialmente grande. En pocas palabras, eso significa que el auge de la economía turca en los años anteriores se basó principalmente en el crédito.

Otro acelerador fue la negativa del banco central turco a elevar las tasas de interés, instrumento habitual de la política monetaria para combatir la inflación y la devaluación de su propia moneda. Esta negativa no fue voluntaria, sino que se debió a la presión del presidente Erdogan. Normalmente, el banco central debe actuar independientemente de la política (no debe suponerse que cualquier político que se convierte en presidente también comprende la política monetaria). En el caso de Turquía, el banco central era considerado independiente, lo que se cayó, de facto, después de la victoria electoral de Erdogan. Erdogan declaró públicamente que las tasas de interés no determinadas por él eran "el padre y la madre de todo mal". Como el lector pueda saber, la banca basada en intereses está prohibida en el islam.

Conforme la devaluación de la lira se aceleró aún más en mayo de 2018, el banco central solo pudo evitar un mayor declive aumentando su tasa base en 300 puntos básicos, del 13,5% al 16,5%. Aunque esto condujo a una recuperación temporal de la lira, la moneda continuó cotizando por encima del nivel de 5 liras por euro. En los días posteriores al salto en la tasa de interés, mi posición sufrió, pero nunca estuvo realmente en peligro. Evidentemente, esperaba una intervención del banco central turco, a pesar de la retórica de Erdogan. Un claro aumento en las tasas de interés fue una señal para los mercados (y para mí). Sin embargo, la lira no se recuperó significativamente. Ni siquiera se recuperó cuando Erdogan anunció que quería adelantar las elecciones presidenciales y parlamentarias para junio de 2018.

El 7 de junio, el Banco Central de Turquía anunció que nuevamente aumentaría las tasas en 125 puntos básicos. Aunque esto llevó a algunas ganancias para la lira, no impresionó al mercado de manera alguna. El 14 de junio, Erdogan endureció su retórica contra "los mercados financieros" amenazando con actuar contra la agencia calificadora de riesgo Moody's después de las elecciones. Esto, por supuesto, fue una declaración ridícula sin importancia, a la que la lira respondió con otra devaluación de unos buenos 1.000 *pips*.

Cuando el partido político de Erdogan, AKP, finalmente ganó las elecciones, y Erdogan tuvo una clara mayoría en el parlamento, la lira tampoco se recuperó. Por el contrario, cuando osadamente anunció que las tasas de interés pronto caerían en Turquía, la devaluación de la lira comenzó a acelerarse aún más.

Aunque el EURTRY continuó moviéndose lateralmente en junio y principios de julio, se mantuvo estable por encima de 5,500 desde mediados de julio, lo que me animó a comprar más posiciones. De alguna manera supe que estaba en el camino correcto. Se estaba volviendo cada vez más claro que era el propio Erdogan quien iba a enterrar su propia moneda. No podría haber elegido un mejor aliado que el presidente turco para mi especulación contra la lira.

¡Y continuó! El 9 de julio nombró a su propio yerno como ministro del nuevo ministerio de finanzas. Erdogan se facultó a sí mismo, mediante un decreto presidencial, para nombrar al gobernador del Banco Central. Al hacerlo, derogó definitivamente la independencia de dicho banco, aunque ya era de facto. Me volví cada vez más consciente de que algunas personas en Ankara realmente estaban comenzando a sentir pánico. En tanto Erdogan más se apoderaba del rumbo de la política monetaria, cuanto antes socavaba la escasa estabilidad de su moneda.

El 24 de julio, el banco central turco anunció que, a pesar de un renovado aumento de la inflación, dejaría las tasas de interés en 17,75%. Esto condujo a una nueva venta masiva en la lira, así como en el mercado de valores turco.

Todo salió según lo planeado para mí, aunque todavía faltaba un verdadero catalizador para catapultar al EURTRY realmente alto. Sentí que vendría, solo que no sabía desde qué esquina. Y no podría haber adivinado que sería el presidente Trump quien realmente reforzaría mi especulación contra la lira.

Más específicamente no fue el propio Trump, sino ¡un pastor estadounidense de la Iglesia evangélica presbiteriana, llamado Andrew Brunson, quien eventualmente me traería una ganancia considerable! Brunson se mudó a Turquía en 1993 y fundó una pequeña Iglesia de la resurrección, en Izmir. En 2016, cuando quiso renovar su visa, fue arrestado. Fue acusado de espionaje y apoyo al partido PKK, prohibido en Turquía. En 2017, Estados Unidos exigió su liberación. La oferta de Erdogan fue un intercambio. Liberaría a Brunson si Estados Unidos entregaba a Fethullah Gülen a Turquía. Gülen vivía en el exilio en los EE. UU., y los turcos creían que era responsable del intento de golpe de estado del 15 de julio de 2016.

El tira y afloja entre los dos países en torno al pastor estadounidense creó una relación tensa entre ambos, el cual finalmente condujo a un verdadero conflicto diplomático. El 9 de agosto, Erdogan pronunció un discurso proclamando: "Si tienen sus dólares, nosotros tenemos nuestra gente, nuestra virtud y nuestro Dios". A partir de ahí, malgastó cualquier esperanza de reforma económica y una política monetaria que hiciera justicia a los hechos. La reacción del mercado fue clara. La lira se depreció nuevamente y el EURTRY subió a 6,15.

Al mirar la tabla, que se había vuelto parabólica en las últimas horas y catapultado las ganancias de mi posición en el rango de seis cifras, sentí que el final estaba cerca. Nadie sabe con anticipación dónde estará el máximo, al igual que nadie puede predecir el mínimo. Cuando finalmente el EURTRY se disparó como un cohete, el 10 de agosto, subiendo a un increíble 7,83 en las últimas horas de ese día, comencé a escalar hacia afuera mi posición sin saber que, en realidad, para ese momento estábamos viendo los máximos en el EURTRY. Por supuesto, nuevamente no conseguí vender en lo más alto. Pude deshacerme de algunos contratos a un fantástico precio de 7,50, otros a uno ligeramente más bajo. Fue una ganancia fabulosa. Aunque al día siguiente el EURTRY subió por encima de 8,00, solo pude verlo ocurrir. Estaba completamente afuera. Cuando en los días posteriores el EURTRY retrocedió por debajo de 6,50, me sentí bastante satisfecho. Tal vez debí haber enviado tarjetas de agradecimiento a los presidentes Erdogan y Trump, por cuanto fue su actuación en el juego lo que me permitió esta gran ganancia.

Capítulo 14:

Especulando con valores

Una pregunta importante que ahora surge es si este método funciona igual de bien con las acciones. La respuesta es clara: sí. Hay muchos ejemplos de operadores que se han enriquecido comprando una acción en particular y sistemáticamente expandiendo su posición a medida que el precio de la acción evolucionó a su favor.

No se necesita entrar al comienzo del movimiento. Por supuesto, a todos nos hubiese gustado haber comprado Apple en 1998 y luego haber esperado hasta 2019. La probabilidad de tener éxito haciéndolo así es infinitamente pequeña. Además, la pregunta aquí no es cómo hacerse rico lentamente, sino cómo hacer crecer una cuenta pequeña rápidamente. Esto puede hacerse negociando Apple, Amazon o Facebook por algunos meses.

Incluso diría que este es un método excelente. Así que, no busque algunas acciones oscuras de Kazajstán para hacerlo. Quédese con las que actualmente lideran el mercado, porque entonces estará operando con los grandes fondos que hacen exactamente lo mismo que usted. Aquí, es mucho menor la probabilidad de que una tendencia cambie, a menos que la percepción de los actores del mercado acerca de una compañía cambiara en forma abrupta, lo que generalmente no ocurre rápidamente con las empresas que tienen un buen modelo de negocio.

Imagen 16: Amazon, gráfica semanal, agosto 2017 - septiembre 2018

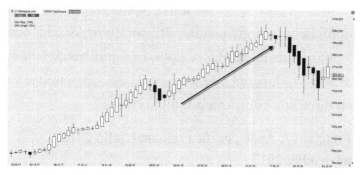

Si, por ejemplo, a fines de abril de 2018, después de la corrección menor, ingresó a Amazon a un precio de USD 1.500 y se mantuvo hasta septiembre cuando Amazon finalmente alcanzó USD 2.000 (flecha en el gráfico), esa ganancia de precio de USD 500 hubiese sido suficiente para hacer una fortuna. Adicionalmente, tuvo cuatro meses para gradualmente expandir su posición y operar con el dinero del mercado.

Para visualizar mejor las tendencias de los grandes líderes del mercado me gusta utilizar la gráfica de heikin ashi, especialmente la semanal. Como puede verse en el ejemplo de las acciones de Amazon, casi no hubo corrección técnica durante este movimiento de USD 1.500 a USD 2.000. Esto es típico de valores con gran seguimiento. Por lo que son, exactamente estos, los que debería negociar si desea implementar la estrategia que propongo en este libro. Aquí es donde se encuentran las mejores oportunidades de éxito. En el gráfico puede verse cómo los grandes fondos negocian las acciones. Cada día de pérdida mínima es una invitación para comprar las acciones. Semanalmente, apenas se nota. Los gráficos de heikin ashi le ayudan a mantenerse en las acciones, aun si va en dirección contraria por algunos días.

Imagen 17: Apple, gráfica semanal, julio 2016 - noviembre 2017

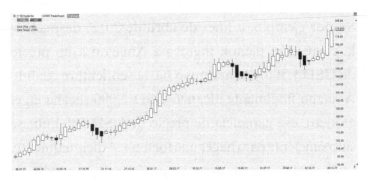

Este gráfico semanal de Apple claramente muestra por qué se debe negociar las acciones que lideran el mercado. La liquidez en estas acciones es tan grande que la posibilidad de reveses aleatorios o correcciones es muy pequeña. Si a los actores del mercado involucrados en tal fase se les ocurriese repentinamente vender las acciones, se deberá a verdaderas malas noticias de la compañía o a una perspectiva negativa para los siguientes trimestres. Es por eso que tiene sentido negociar tales acciones desde una temporada de informes hasta la próxima. Entre medio, a veces hay excelentes fases de tendencia que pueden tomar varios meses. Como especulador, puede beneficiarse de ellas, de tal forma que no tiene que comprar las acciones y conservarlas durante años.

Si prefiere acciones en lugar de mercados generales, entonces debe negociar acciones. Por supuesto, debe tener en cuenta que las acciones son los valores de una compañía, y estas están administradas por personas que pueden retener información y no darla a conocer a los actores del mercado. No digo que tal escenario no pueda también suceder en los mercados generales. La diferencia es que si comercia con un índice, como el Dax, el CAC40, el Dow Jones o el Bovespa, no tiene una gestión de riesgos como la que tiene al negociar una sola acción. Siempre existe un riesgo de mercado y no niego que un evento como el *Flash Crash* de 2012 no pueda volver a suceder. Por eso digo que, por adelantado, dé por perdido el dinero de cada especulación específica.

Sin embargo, me parece que los riesgos involucrados al negociar mercados generales, como los índices bursátiles, productos o monedas, son menores que cuando se negocian acciones individuales.

Hay otra razón por la que prefiero negociar mercados en lugar de acciones, a pesar de que pueden tener fuertes tendencias. Si negocia los Alphabet, Apple y Amazon de este mundo, porque están en alza, lo que está básicamente haciendo es siguiendo la tendencia. Se sigue la tendencia con la esperanza de que continúe por un tiempo. Ahora bien, el seguimiento de tendencias es una forma legítima de ganar dinero en el mercado de valores, pero generalmente es un método lento. Tampoco hay nada de malo en eso, pero dado que queremos hacer crecer nuestra pequeña cuenta rápidamente, estamos violando la regla "rápida" con el seguimiento de tendencia.

Habrá notado esto de los ejemplos de operaciones que he llevado a cabo. Para especular, generalmente elijo un mercado en el que esté sucediendo algún tipo de crisis. Prefiero situaciones en las que algo llega a su punto crítico. El motivo es simple. Tales mercados son propensos a las exageraciones, y si estoy bien posicionado, generalmente me beneficio, desproporcionadamente, de tales situaciones.

Ese fue el caso con la plata (crisis financiera 2008). También fue el caso con las crisis del rublo y la lira. En todas ellas, lo que sucede es que el mercado reacciona desproporcionadamente. Generalmente, se nota que el gráfico comienza a dispararse o a generar una subida parabólica (o comienza a caer en el caso de una tendencia a la baja).

Y cuando una gráfica asume formas parabólicas, sé que el final está cerca. Es entonces que ha llegado el momento de convertir las ganancias. Sin embargo, el factor principal específico de mi método es que la gran mayoría de ellas se realizan en los últimos, y a menudo, dramáticos días de la "crisis". ¿Por qué? Porque en las semanas y meses previos, he desarrollado mi posición paso a paso y estoy totalmente comprometido al momento en que "la exageración" realmente comienza y el mercado "reacciona desproporcionadamente". En ese instante, quiero tener mi mayor posición.

Claro, si simplemente se sigue la tendencia, también pueden obtenerse buenas ganancias, pero generalmente no tantas como pudieran lograrse en el tipo de crisis sobre la que estoy hablando aquí. Es por tal motivo que favorezco los mercados en crisis, porque me prometen la mayor ganancia posible.

Eso me lleva a la razón quizás más importante por la que prefiero este método tratándose de hacer crecer rápidamente mi cuenta. Este método está diseñado para personas que <u>tienen una mentalidad</u>

ganadora y que saben cómo aprovechar al máximo las oportunidades extraordinarias que, cada tanto, ofrece el mercado de valores. Es una actitud que trata más sobre maximizar ganancias que sobre evitar pérdidas y riesgos. Si va a la bolsa de valores con mentalidad de no querer perder, perderá, pero si va con la absoluta voluntad de ganar, entonces habrá buenas posibilidades de ganar. ¿Es realmente así de simple? Sí, lo es.

Capítulo 15:

Negocie lo que vea

Como especulador, debiera intentar ser honesto, al menos consigo mismo. Si aquí reporto algún éxito, ello no significa que no deba también admitir mis errores. Me he equivocado más a menudo de lo que he acertado. Por ejemplo, mencioné que varias veces intenté ir corto en el Dax y el Dow Jones entre 2010 y 2012, a pesar de que claramente estábamos en un mercado alcista. En realidad, lo sabía muy bien. El gráfico a largo plazo me mostró que la larga fase lateral de los años 2000-2009 en el Dow Jones había terminado.

Igualmente, tuve un buen argumento. Si la Reserva Federal baja las tasas de interés a cero, apenas puede ganarse dinero con bonos. ¿Qué hace el administrador de un gran fondo en este caso? ¡Exactamente! Aumenta su cuota de acciones, porque con ellas al menos puede ganar rendimiento de los dividendos. Lo supe, e incluso lo proclamé públicamente en un podio de discusión para inversionistas en Bruselas. Se pidió a cada orador que hiciera un pronóstico para un mercado. En una gran pantalla mostré a la audiencia un gráfico a largo plazo del Dow Jones y una proyección de precios al alza. Basado en mi análisis en esta conferencia, en 2010, profeticé un Dow Jones de 20.000 puntos (en 2010, el Dow Jones se situaba aproximadamente en 10.000 puntos). La mitad de la audiencia me miró con escepticismo, la otra, solo se rio. Vi a mis "colegas" de la mesa en el podio sacudir sus cabezas.

El punto fue que no dije esto en los Estados Unidos, sino en Europa. En los Estados Unidos, los operadores ya habían vuelto al tren alcista hacía un tiempo, mientras que los europeos estaban en medio de la llamada "crisis del euro". Los medios en Europa estaban llenos de noticias negativas y podía sentirse en el estado de ánimo general de la audiencia en esa conferencia. La gente estaba tan paralizada por la negatividad que no podían ver las oportunidades obvias en los Estados Unidos. Se rieron de mí y nadie quiso hablarme después de la mesa redonda. ¿Quién pierde su tiempo con un charlatán fantasioso?

Honestamente, eso no me dolió demasiado. Mucho peor fue no haber seguido mis propias convicciones con hechos. En vez de simplemente ir largo en el mercado de valores estadounidense y construir posiciones a largo plazo en el mayor mercado alcista de la historia, y hacer una fortuna, fui corto. Multitud de veces...

¿Cómo puede explicarse este tipo de comportamiento? ¿Cómo puede uno actuar en contra de su propia convicción?

Incluso hoy, no tengo una verdadera respuesta a esto. <u>Sé que lo obvio a menudo es lo más difícil de hacer</u>. Los humanos estamos aparentemente condicionados a preferir el camino más complicado, porque nos parece más lógico o plausible. Comprar acciones cuando suben, a los fines de venderlas unos años más tarde con grandes ganancias, nos parece demasiado simplista. Pero créanme, la mayoría de las riquezas en el mercado de valores se hizo exactamente de esa manera: teniendo gente que hace lo obvio. Tal como fue obvio para mí ir corto en la lira cuando Erdogan quebró su propia moneda, y así como fue obvio ir corto en el rublo ruso cuando los precios del petróleo cayeron dramáticamente.

Lo obvio, sin embargo, no tiene muchos admiradores, como aprendí en la conferencia de inversionistas en Bruselas. Bueno, evidentemente no pude convencerlos: ni siquiera creía en mi propia profecía, de lo contrario, no hubiera ido corto en contra de mi propia convicción.

En momentos así, uno debe recordar las palabras de Jesse Livermore, quien hizo todo lo posible para ignorar opiniones y consejos de sus colegas, de tal forma que no pudiesen empañar su juicio. Si fue difícil lograr esto a principios de siglo, es casi un acto heroico mantenerse alejado de todo eso en nuestros completamente interconectados tiempos.

La mayoría de las personas buscan confirmación de sus actos. ¿Es acaso eso lo que estoy haciendo ahora? Tal vez hay otros que lo ven exactamente igual que yo. ¿Tal vez podamos hacer esto juntos? ¿En un grupo? Espero que el lector pueda ver lo absurdo de esta idea.

Sí, es incómodo hacer lo contrario de lo que hacen un montón de inversionistas en una sala de conferencias, quienes incluso se ríen de uno. Pero eso es exactamente lo que debe hacerse. Y no lo haga innecesariamente difícil. Si tiene una idea o ve una oportunidad en algún lugar, entonces simplemente compre una pequeña posición de prueba. Esto le mostrará si está en el mercado correcto o no. Y no olvide las palabras del especulador húngaro Andre Kostolany. <u>No son las noticias las que generan el precio, es el precio el que las genera</u>. Si hay una crisis en alguna parte, entonces puede suponer que en algún momento aparecerán las noticias negativas tratando de "explicar" todo. Lo mismo ocurre con las noticias positivas cuando algo comienza a subir dramáticamente.

Capítulo 16:

Cómo y cuándo debería comprar

Algunos operadores se preguntarán cómo ir progresivamente construyendo una posición en un mercado que está subiendo o cayendo dramáticamente. Aquí no existe el bien o mal hacer. Si tiene razón en su valoración, entonces su posición no puede ser suficientemente grande.

Tendemos a subestimar el factor del tamaño de la posición cuando especulamos, aun siendo lo más importante de todo. En mi opinión, sea que su tasa de aciertos es del 30%, 50% o incluso del 70%, ella solo juega un papel menor. La pregunta mucho más importante es cuán grande es su posición, en caso de tener razón. Como dije antes, no creo que sea un drama perder en sus dos primeros intentos, por ejemplo, USD 2.000 dos veces y ganar USD 40.000 en su tercer intento. En ese caso, su tasa de aciertos es un escaso 33.33%, pero su ganancia promedio es muchas veces mayor que su pérdida promedio. ¡Ese es el factor determinante!

Por lo tanto, siempre debe estar atento a la reacción del mercado al empezar a aumentar su posición. Si el mercado confirma su suposición una y otra vez (por ejemplo, si continúa subiendo en una posición larga), entonces debe seguir comprando. Si, por el contrario, va de lado o incluso cae, queda claro que debería asumir una postura defensiva de esperar y ver. Después de todo, no desea recibir una llamada de margen de su corredor.

Admito que soy un comprador agresivo una vez que el mercado confirma mi suposición y mis primeros contratos tienen ganancias. No puedo recalcar este asunto lo suficiente. Este método es realmente acerca de aprender a intervenir masivamente, si se tiene razón. El mercado en sí es su mejor proveedor de realimentación. Espero haber aclarado de qué se trata todo esto con mis ejemplos en este libro. Aquí no aplica la gestión de riesgos clásica. Usted calcula su riesgo probando primero el agua y luego interviniendo con una posición pequeña.

¿Debería trabajarse con las órdenes *buy stop* tan pronto como el mercado alcance un cierto nivel? Si le gusta trabajar con órdenes *buy stop*, entonces hágalo así. El punto radica en que cada especulación es diferente y cada una tiene su propia dinámica. A veces nada ocurre durante semanas y después el mercado se dispara en pocos días como si no hubiera un mañana. En tales situaciones, por supuesto, debe tener el coraje de agresivamente comprar más contratos en unas pocas horas.

Por otro parte, también está el caso de un mercado que gradualmente sube durante semanas, como un tramo de escalera. Entonces tiene todo el tiempo del mundo para construir su posición de a poco.

Pero no espere que siempre funcione así. En general, tendrá que esperar tanto alzas como bajas, y reveses, por lo que dependiendo de cuántos contratos ya haya comprado, las fluctuaciones en su indicador de pérdidas y ganancias pueden ser significativas. Este es un componente inherente a esta estrategia y debe ser capaz de soportarlo.

Esta estrategia es más un arte que una ciencia. No existe una regla que diga que deba comprar un contrato de futuros por cada 100 nuevos puntos ganados, por ejemplo, si va largo en los futuros del Dow Jones. Si se siente cómodo con este enfoque, debe hacerlo de esa forma, pero debería saber que el Dow puede fácilmente corregir 1.000 puntos en un día (desde 2019).

Cada operador es diferente y cada uno tiene su propia zona de confort. Mayormente, asumo una actitud de esperar y ver. Al comienzo del movimiento, tiendo a comprar algunos contratos. Si el mercado continúa subiendo y confirma mi suposición, sigo comprando. En la última fase, si la gráfica sube como un cohete, suelo comprar otra vez, agresivamente. Tal como los ejemplos han mostrado, debe estar consciente de que la mayor ganancia a menudo se logra en esta fase de exageración.

Por lo tanto, no puede haber un algoritmo estático para construir posiciones en un mercado de tendencia. Cada tendencia o exageración es diferente, y es deber del operador responder adecuadamente. Desearía poder ofrecerle un modelo estático de cómo debiera comprar (o vender si va corto). Lamentablemente, no tengo ninguno. Claro, si tiene poca o ninguna experiencia con esta estrategia, le recomiendo primero tomar un enfoque más conservador y no expandir demasiado su posición, aunque tal vez eso no se ajuste a su naturaleza. Tal vez quiera llegar al límite, tal como hice con mi operación en plata. No hay nada malo en ello. No recuerdo exactamente cuántos contratos compré al final de esa operación. Creo que entre 20 y 30. Entienda, esto no es para apocados, pero tampoco es para especuladores como Soros y compañía. Y, por cierto, ni siquiera para un "inversionista" como Warren Buffet. Solo piense en su famosa posición de Coca Cola, donde invirtió un buen 30% de su capital. A fin de "minimizar los riesgos", inversionistas como Buffet y Soros no son cautelosos y no distribuyen sus inversiones en muchos activos. Ellos no se enriquecieron por ser cautelosos y conservadores. Al contrario. Se hicieron ricos porque se dieron cuenta de que hay que entrar en grande si existe una excelente oportunidad. Y con grande, quiero decir: realmente grande. Uno se vuelve rico concentrando, no diversificando.

Capítulo 17:

La especulación es más fácil
que las operaciones diarias

Debe quedar claro que los métodos habituales de gestión de riesgos son ineficaces para este tipo de especulación. Puesto que se está llevando al límite, recomiendo proporcionar una cierta cantidad de dinero que, desde el principio, debería dar por perdida para cada especulación. En otras palabras, debe suponer que podría perder su dinero, ya sea porque el mercado en el que invierte no va en la dirección que esperaba o porque no eligió bien su momento oportuno.

Evidentemente, trato de minimizar este riesgo entrando primero con una pequeña posición de prueba. Sin embargo, pudiera suceder que un revés inesperado sacara su posición del mercado, a pesar de haber subido considerablemente y todo haberse visto bien al principio. Ese fue el caso de mi especulación con el rublo, donde casi abandoné. Especular en el mercado de valores permanece impredecible y, en cualquier momento, una tendencia puede cambiar completamente. Es por eso que recomiendo tomar riesgos calculados y desde el principio dar por perdido el dinero.

Trate de verlo así. ¿Es malo perder USD 2.000 tres veces consecutivas (eso es USD 6.000 en total) y luego ganar USD 30.000 en el cuarto intento?

Terminaría siendo un excelente resultado de una ganancia neta de USD 24.000. Si utiliza este método, debe mirarlo de esta manera. Ciertamente, esto no sirve para personas con aversión al riesgo, pero este libro no lo escribí para ellas.

También afirmo que es mucho más fácil ganar USD 24.000 con cuatro especulaciones específicas (de las cuales tres salgan mal) que intentar ganarlos con operaciones diarias, arriesgando USD 100 o USD 200 con cada una. Eso es mucho más difícil, créame, por años he estado tratando de hacerlo.

El método de especulación específica, usando instrumentos apalancados, no solo es más simple, sino que también es mucho más efectivo, independientemente de lo que los operadores diarios puedan decirle.

¿Eso significa que ya no debiera seguir operando de día y que, de ahora en adelante, debiera intentar ganar dinero con algunas operaciones específicas? No, eso no es lo que quiero decir porque, definitivamente, hay momentos en los que puede hacerlo muy bien con el *trading* diario o la reventa (*scalping*). Si lo disfruta y le va bien, siga haciéndolo. Solo estoy señalando que hay momentos en que el *trading* diario y el *scalping* no funcionan muy bien. Es entonces cuando debiera, al menos, tener un método alternativo. Ese, puede ser el tipo de especulación específica de la que estoy hablando aquí, o tal vez un sistema de *trading* automático. No importa. Lo que importa es tener una alternativa cuando las cosas no van tan bien.

Capítulo 18:

Una cuenta separada
para cada especulación

Tengo una recomendación más si quiere usar este método. Abra una nueva cuenta con otro corredor para cada nueva especulación. Sí, leyó correctamente. Abra una cuenta específicamente para cada especulación, así, únicamente para esa específica especulación. Hoy en día, ya no es difícil abrir una cuenta con un corredor en apenas una hora.

Cuando planeo construir una posición en un mercado en particular, elijo al corredor *correcto*, aquel con quien mejor puedo lograr mis objetivos. Para mí, es importante no haber negociado previamente en esa cuenta (es decir, operaciones sin pérdida). ¿Por qué eso es importante para mí? Sin ser supersticioso, considero cada nueva especulación como una especie de pequeña empresa que abro por tiempo limitado y luego vuelvo a cerrar. Y lo más importante, si mi nuevo negocio fuese exitoso, ¡retiro toda la ganancia de la cuenta, incluido el capital inicial, y la cierro!

Cada nueva cuenta, por ende, está prevista para una operación específica que pretendo realizar. Y *solo* para esta operación. Por ello, no trato de usar la cuenta para otras operaciones secundarias pequeñas. Justo lo opuesto. Saco el dinero del ciclo especulativo y lo pongo en una cuenta corriente normal. De esta manera, la ganancia queda definitivamente fuera de la zona de riesgo. Puedo entonces hacer algo bueno con él o invertirlo, por ejemplo, comprando un departamento que puedo alquilar, o podría hacer otra inversión, tal como comprar oro físico.

Esta medida drástica lo disciplinará. Solo tiene una oportunidad, por así decirlo. Si falla en su primer intento, salga y regrese en otro momento, y opere en otro mercado. No cometa el mismo error que yo cometí de ingresar al mismo mercado varias veces. Elija otra cosa, porque al haberse quemado los dedos en cierto mercado, no podrá verlo con ojos frescos. Está, por así decirlo, prejuiciado. Espero que pueda entenderlo.

Uno podría comprender este "método de una operación por cuenta" como una especie de táctica de guerrilla. Se posiciona a la espera (durante un largo tiempo), ataca en condiciones óptimas y luego literalmente sale y cubre sus huellas. ¿No le gusta cómo suena? Solo pruébelo y verá cómo se siente.

De paso, espero que no haya pasado por alto el hecho de que *me posiciono durante un largo tiempo*. Hago lo contrario de lo que hace la mayoría de los operadores que permanentemente operan o siempre tienen posiciones. Lo lamento, me he convertido en un operador bastante minimalista. Cuando la gente pregunta qué estoy haciendo, generalmente digo "nada". Y usualmente ese es el caso. Mayormente, hago nada. Eso significa que no expando demasiado mi concentración con operaciones subóptimas que realmente no mejoran mi existencia financiera.

Acaba de realizar tres operaciones y tiene USD 1.000 más en su cuenta. Felicidades. ¿Pero realmente este dinero le ayuda económicamente? ¿Puede comprar una casa o hacer una inversión significativa con este dinero? Creo que eso es improbable. ¿Por qué debería uno lidiar con tales operaciones? Sin embargo, si es capaz de ganar USD 100.000 con una sola operación, entonces este dinero realmente lo ayudará (a la mayoría de las personas, al menos). Y ese es el punto. No vale la pena considerar operaciones que no lo lleven a un nuevo nivel financiero. Si va a la bolsa de valores, entonces debería valer la pena. El viejo maestro Kostolany solía decir: si es cerdo, ¡debe gotear!

Y este nuevo nivel financiero puede ser diferente para todos. Para algunos, puede ser USD 10.000, para otros, podría ser USD 100.000 o incluso un millón. No importa. La clave es que USTED salga adelante y, para hacerlo, se necesita una preparación óptima. En otras palabras, con este método, tendrá que transformarse de un operador hiperactivo en un agudo observador.

Capítulo 19:

¿Con cuáles instrumentos financieros debería negociar?

Debe estar consciente de que con una pequeña cuenta de operación no podrá jugar con todos los instrumentos financieros posibles. Así que no piense en imitar a John Paulson, quien logró USD 3,7 mil millones en 2007 con una apuesta contra el pomposo mercado inmobiliario estadounidense. Lo hizo comprando permutas financieras por incumplimiento crediticio (CDS, por sus siglas en inglés). Estos instrumentos no están disponibles para usted como inversionista minorista. De paso, todo el asunto sobre la operación de Paulson no fue realmente adecuado o legítimo. Estos instrumentos habían sido especialmente desarrollados para él, a objeto de que pudiera apostar contra los bancos que los habían emitido a su favor...

Por supuesto, cada inversionista minorista puede especular con bonos y monedas del gobierno, y nadie puede prohibirle que venda en corto las acciones de Ucrania, si ese país vuelve a tener problemas.

Dependiendo de qué idea de inversión esté involucrada, crearé, como ya se mencionó, la cuenta con la que pueda implementarla mejor (y con el máximo de rentabilidad).

Desde luego, si elige **futuros** para su especulación, necesita un corredor de futuros especializado (y económico). Por encima de todo, debería mirar el monto de los márgenes nocturnos para su idea. Si son demasiado altos, pueda que necesite demasiado capital para siquiera comenzar. Compare varios corredores. Se sorprenderá con las diferencias. Los más baratos suelen ser los corredores de futuros estadounidenses porque a menudo son miembros del CME, lo que les otorga términos muy diferentes.

Si los futuros son demasiado caros para usted, puede probar una construcción financiera, la cual, básicamente, no es más que un derivado de futuros. Esto se refiere a **contratos por diferencia** (CFD, por sus siglas en inglés). Puede abrir una cuenta CFD con USD 1.000 o menos. Desafortunadamente, los ciudadanos estadounidenses tienen prohibido abrir una cuenta CFD. Por lo tanto, ellos deben mirar las **opciones** como una alternativa más barata a los futuros. Creo que las opciones son un excelente instrumento para operar en la forma en la que me estoy refiriendo aquí.

Los operadores de CFD, en particular, deberían prestar atención a los costos de financiamiento de estos instrumentos y, de antemano, preguntarle al corredor cuánto costaría mantener 10 CFD en un mercado determinado durante 3 meses. Algunos corredores no imponen costos de financiamiento a los CFD sobre futuros, a diferencia de los CFD sobre acciones. A veces, esto varía de un corredor a otro. Mi operación de plata, en 2007-2008, la realice con CFD. Al principio, comencé con mini contratos, pero a medida que mi posición fue creciendo, pude comprar el gran contrato, el cual, eventualmente, me llevó a una gran ganancia. Sin embargo, después de tres meses, tuve más de 1.000 euros en costos de financiamiento con esta posición. De haber sabido que iba a permanecer por tanto tiempo en esta operación, seguramente hubiese escogido otro corredor (más barato). Espero que ahora entienda mejor por qué creo que tiene sentido abrir una cuenta separada para cada idea de especulación específica.

Otro instrumento que puede usarse para especular sobre la evolución de los mercados son los **fondos de inversión cotizados** (ETF, por sus siglas en inglés). La amplia oferta disponible en esos instrumentos ahora es tan confusa que debería cuidadosamente pensar dónde abrir una cuenta. También existe la posibilidad de apalancamiento, gracias a los llamados ETF apalancados (frecuentemente triple apalancados). Por lo que, por ejemplo, puede comprar un ETF con triple apalancamiento en plata.

Los críticos de los ETF (con razón) argumentan el problema de la llamada dependencia de la trayectoria (*path dependence*). Este fenómeno ocurre especialmente en movimientos laterales o correcciones menores en una tendencia. En tanto el mercado se mueva en la dirección deseada, el rendimiento es incluso ligeramente más alto que el apalancamiento original. Si va en sentido contrario, generalmente el ETF tendrá un rendimiento más bajo. Esta desventaja tiene un impacto en la exposición a largo plazo en un mercado, razón por la que creo que los ETF apalancados no son adecuados para inversionistas a largo plazo. Para los especuladores que entran al mercado a plazo medio (1 a 3 meses) y, sobre todo, confían en un fuerte movimiento subyacente, creo que puede incluso ser un excelente instrumento.

Probablemente, la herramienta más fácil y flexible para un inversionista minorista son los **mercados de divisas**. Aquí puede incluso participar con montos muy pequeños (menos de USD 1.000), y puede que también sea el mejor punto de partida para esta estrategia. Sin embargo, en esto también debe tomarse nota del monto de los costos de financiamiento, mejor conocidos bajo el término "permutas financieras" (*swaps*). Los *swaps* son tasas de interés incurridas por préstamos (generalmente siendo una posición de forex), las cuales bien pudieran ser del 5%. Por ello, al elegir un corredor de forex, debe prestarse menos atención a los diferenciales y niveles de apalancamiento que a los *swaps*. En este respecto, una comparación en profundidad de los corredores puede significar un ahorro de varios miles de dólares. Esto es particularmente cierto cuando se transa con monedas exóticas, es decir, aquellas que no forman parte del "Big 7" clásico (EUR, USD, GBP, CHF, CAD, AUD, NZD). Los siguientes, son ejemplos de tales pares de divisas: USDRUB, USDMXN o EURTRY. Los *swaps* en estas monedas pueden acumularse significativamente al invertir, durante meses, en una de ellas.

Capítulo 20:

Riesgo máximo y Llamada de margen

Si decide negociar con instrumentos profesionales, tales como futuros y opciones, debería saber que, desde el punto de vista de la gestión de riesgos, usted es considerado un "socio profesional". Generalmente, las transacciones de futuros y opciones están sujetas a la obligación de hacer contribuciones adicionales. Si las pérdidas de sus posiciones exceden el margen de cobertura, recibirá una llamada de margen de su corredor. Esto significa que debe añadir nuevos fondos, de lo contrario, la posición se cerrará.

Si no le gusta la idea de poder, teóricamente, perder más de lo que tiene disponible, le convendría abstenerse de operar con estos instrumentos. Pero al hablar con corredores, esto es relativamente raro que ocurra en la práctica. Usualmente, las llamadas de margen son, de por sí, una amenaza suficiente para que un operador reduzca la posición o la cierre completamente, si fuese necesario. Aun así, como operador, debería estar al tanto de que existe el requisito de fondos adicional. De ser posible, nunca debería permitirse llegar tan lejos. Varios de los corredores con los que he hablado acerca de este asunto me han asegurado que, en los raros casos en que esto sucedió, siempre pudieron llegar a un acuerdo con el operador.

En contraste, si opera con instrumentos derivados, como CFDS o Forex, generalmente está en el lado seguro, al menos en la UE. Debido a la estricta regulación de la Autoridad Europea de Valores y Mercados (ESMA, por sus siglas en inglés), vigente desde principios de agosto de 2018, el alto apalancamiento para los inversionistas privados está severamente limitado. Anteriormente, eran comunes apalancamientos de 100 a 500, pero ahora están limitados a un máximo por un factor de 30 (30:1). Dependiendo del valor subyacente, son incluso más bajos: con las acciones, son cerca de cinco, como mucho. De ahí, que los operadores no están obligados a hacer contribuciones adicionales en caso de que la garantía depositada ya no fuese suficiente. Las pérdidas no pueden exceder el capital invertido.

Si desea protegerse contra tal evento, a pesar de esta regla, puede buscar un corredor que ofrezca una orden *stop-loss* garantizada. Aquí, el corredor garantiza el cierre de la posición exactamente al precio deseado. Es él quien corre el riesgo y debe pagar los costos de las desviaciones por su cuenta. A cambio, el operador usualmente paga una tarifa por esta garantía, que puede también cobrarse ampliando los márgenes. Es por ello que debería considerar este cargo como una especie de prima de seguro. Hable con su corredor y pregúntele si ofrece órdenes *stop loss* garantizadas y cuánto cuestan.

Capítulo 21:

Mantenga sus operaciones para usted

Como especulador, tendrá que estar preparado para hacer cosas impopulares si quiere ganar mucho dinero o si quiere hacer progresar su cuenta, y no a todos va a gustarles lo que haga. Quisiera darle algunos consejos, como amigo operador. De ser posible, no hable sobre sus operaciones con nadie. Abra una cuenta con un corredor y realice sus transacciones. No hable de ello, ni siquiera con sus amigos, y ciertamente tampoco con su familia. El motivo es simple. Casi nadie entenderá lo que está haciendo. No me refiero al entendimiento en sentido moral, sino técnicamente hablando. Por ejemplo, si vende en corto, nadie lo entenderá, incluso explicándoselos lo mejor posible. Si compra USDRUB, técnicamente hablando, está largo en dólares estadounidenses y corto en rublos rusos. Intente explicarle eso a su abuela. Si ella nunca lo ha hecho por sí misma, no lo entenderá.

Mire los informes del mercado de valores en las noticias. Casi nunca informan sobre lo realmente importante. Los medios ansían la sensación, el pánico o el drama, o agitan su moral dedo índice hacia usted. Raramente reportan hechos sobre lo que está verdaderamente sucediendo. Así que no se sorprenda cuando sus amigos, conocidos o familiares balbucen sobre lo que los medios les presentan, y no espere que alguien muestre comprensión por su "nueva ocupación". Eso es algo que rara vez obtendrá.

Respecto al impacto y la labor de los mercados financieros, la sociedad es estúpida. Deliberadamente la mantienen estúpida. Eso pueda no serle atractivo, pero es un hecho. Existen países donde el *trading* está un poco menos estigmatizado. Este es el caso, por ejemplo, de los Estados Unidos. A diferencia de Europa, allí las personas se alegran cuando usted tiene éxito, pero puedo asegurarle que no es así en la mayoría de los otros países. Regañar a los malvados especuladores es una manera simple de desahogarse de algo que no se entiende.

Pero hay una razón mucho más importante por la que debe guardar sus operaciones para usted. Si empieza a hablar sobre sus planes o, incluso, sobre posiciones en curso con su prójimo, ellos responderán de alguna manera. Lo mejor que pudiera sucederle sería la indiferencia, porque eso le perjudica menos. Pero imagínese si yo le hubiera dicho a un conocido que estaba especulando contra el rublo, tal vez incluso en los días en que todos podían ver en la televisión cómo, en Rusia, la gente hacía cola fuera de la agencia de cambio para deshacerse de sus rublos. ¿Cree que hubiese hecho amigos de esa forma? Está claro que no. Eso pudiera incitar a personas de pensamiento moralista contra usted. Tendría que comenzar a defenderse, o incluso puede que tuviese que comenzar a justificarse. Y eso es lo último que debiera hacer si está en medio de una especulación. Estas conversaciones o discusiones con personas que no tienen idea sobre la materia, solo lo confundirán al final. Peor aún, podría costarle empezar a dudar de la única cosa en la que pudiera tener éxito financiero.

Ahora bien, hay bastantes operadores que resuelven su necesidad de comunicación visitando las llamadas personas de pensamiento afín, o sea, que piensan parecido a ellos. O pertenecen a un club de valores, o buscan foros o salas de chat en Internet donde poder discutir sus operaciones todo lo que les apetezca. Admito que también hice esto en mis años de principiante (comencé en 2001). En ese entonces, los foros de *trading* eran algo nuevo. De hecho, a veces era posible conocer a un operador exitoso que estaba dispuesto a compartir su experiencia con uno.

Sin embargo, puedo decirle por experiencia propia que la vasta mayoría de los operadores exitosos que conozco, desde hace mucho, se han retirado de estos chats y foros de mercado de valores. Si realmente tiene algo sensato que decir sobre el tema y está siendo constantemente atacado por algunos tontos, ¿qué hace? ¡Exacto! Toma su sombrero y desaparece para siempre. No descarto que no haya idealistas que aún visiten estos lugares, pero a veces el nivel en el bar a la vuelta de la esquina es un refugio de filosofía y conocimiento humano comparado con lo que pueda experimentar en los chats de mercado de valores. Hace mucho que me despedí de ellos (más de 10 años). Preferiría recomendar contarle a su suegra acerca de sus contratos en el mercado de valores a que pusiera un pie en uno de estos chats de Internet, donde nadie tiene que responder personalmente y casi todos participan bajo un seudónimo (o varios). Así que no lo haga. La razón es la misma que con su familia o amigos. La posibilidad de que estas personas nublen su visión imparcial de los mercados es bastante grande. Recuerde la actitud de Jesse Livermore, quien incluso se encerró en una habitación para no poder escuchar la charla de otros especuladores. Nunca gané dinero estando en estos foros. Todo lo contrario.

Y eso verdaderamente me preocupa. Sin importar lo que haga en la vida, ya sea que esté comenzando una empresa o un negocio de *trading*, tendrá que hacerlo solo. Tendrá que ir por este maldito camino sin nadie a su lado, y no puede permitir que nadie interfiera con él bajo ningún respecto, menos aún su suegra y, ciertamente, tampoco un idiota en Internet que le oculta su verdadera identidad. No puedo enfatizar esto suficientemente. Solo será exitoso cuando empiece a convertirse en un operador independiente. Hoy día, todos saben que solo hay unos pocos. La gran mayoría de las personas juegan con seguridad y vagan por caminos muy transitados. No hay nada de malo en ello. Si quiere, también puedo decirlo esotéricamente para quienes creen en ello: si para esta reencarnación ha elegido empujar una pelota silenciosa, busque un trabajo seguro en el gobierno. Encuentre algo en la administración. ¿O qué tal un trabajo en la oficina de impuestos?

Pero si quiere tener éxito, verdadero éxito, <u>entonces tendrá que hacer algo inusual</u>. Tendrá que hacer cosas que no quieren hacer aquellos que prefieren empujar una pelota silenciosa y, que por lo tanto, rechazan. Espero que ahora entienda por qué es mejor mantener sus asuntos financieros para usted.

Capítulo 22:

Rumbo al primer millón

Ciertamente, un millón de dólares es un objetivo alto, especialmente para quien tenga algo más que unos pocos miles de dólares disponibles para especular. Sin embargo, espero que con los ejemplos que le he mostrado en este libro sea posible obtener ganancias significativas en el mercado de valores con pequeñas sumas, sin importar lo que digan algunos escépticos. Si yo puedo hacerlo, usted también puede.

Pero aunque la duplicación y multiplicación en cuentas pequeñas son bastante viables, no son tan fáciles de lograr para grandes cantidades, mas tampoco imposible. Como puede saber, solo necesita duplicar 10 veces para hacer un millón a partir de 1.000. Con suerte, queda claro para el lector que el paso de 1.000 a 2.000 es bastante diferente al salto de 250.000 a 500.000, aunque matemáticamente sea el mismo principio.

Todo aquel que esté activo en el mercado de valores debería ser capaz de superar la pérdida de USD 1.000. ¿Pero puede permitirse perder USD 250.000?

Estoy muy consciente de que hay operadores que han sufrido tales pérdidas (e incluso mayores). Finalizando este libro, nuevamente quisiera enfatizar que, con el método presentado aquí, no debería dejar que llegue hasta ahí.

La idea de este método es tomar riesgos calculados. Esto minimiza el riesgo de una pérdida total del capital disponible. Debe convertirse en un especialista en especulación, consiguiendo el máximo con el mínimo esfuerzo. Precisamente por esa razón, le recomiendo deducir la mayoría de sus ganancias de la cuenta de corretaje y retirarlas del ciclo especulativo. Si alguna vez realiza una ganancia de USD 30.000 con una especulación, entonces retire por lo menos USD 20.000 de la cuenta de corretaje. Para el método presentado aquí, son innecesarios USD 30.000 para especular. Por el contrario, recomiendo mantener estos totales bajos (esta medida le enseñará disciplina).

A primera vista, este método pudiera clasificarse como de "alto riesgo", pero esta medida lo hace menos riesgoso que lo inicialmente supuesto. El mayor riesgo está al comienzo, cuando el capital disponible aún es pequeño. Cuanto más avance, menos riesgoso será si constantemente ingresa al mercado con una pequeña posición de prueba al principio y solo continúa comprando una vez que tenga ganancias en papel.

Por supuesto, puede arriesgarse un poco más si los primeros USD 100.000 puede llamarlos suyos. Pero dado que para la mayoría de las especulaciones usualmente no se requiere un margen de más de unos pocos miles de dólares, no hay razón para dejar USD 50.000 en su cuenta de corretaje. Sea inteligente y minimice su riesgo inicial tanto como pueda.

Puede que vaya un poco más lento hasta llegar a su primer millón, pero llegará a su destino sin un estrés excesivo. Tal vez, algunas veces sea capaz de obtener ganancias de USD 100.000 o el dinero goteará gradualmente en bloques de USD 40.000. No importa cómo lo haga, debería asegurarse de guardar la mayor parte de sus ganancias y nunca arriesgarlas nuevamente.

Esta medida es justo lo contrario de lo que hace la mayoría de los operadores. Dejan sus ganancias en la cuenta de corretaje para poder negociar más y más contratos. Para estos operadores, por lo tanto, cuanto más grande se haga la cuenta, más aumenta el riesgo. Yo trato de hacer lo contrario. Cuanto más progrese, mayor capital debería siempre sacar del ciclo especulativo. Recuerde, las ganancias operacionales no son realmente suyas, a menos que las haya retirado por completo de la cuenta de corretaje y, preferiblemente, puestas a resguardo o invertido conservadoramente.

Así, tendrá el mayor riesgo al comienzo de su carrera como especulador y no al final. Sea inteligente. Siempre puede especular, pero el capital de inversión perdido nunca regresa.

Es importante comprender claramente la diferencia entre un especulador y un inversionista. Tienen objetivos diferentes y, por lo tanto, utilizan métodos distintos. El objetivo de un especulador debería ser progresar financieramente, lo más rápido y eficientemente posible. En este libro, he tratado de mostrar cómo hacerlo.

El objetivo y la labor de un inversionista es completamente diferente. Este ya tiene capital. Su objetivo principal es proteger los activos existentes y mantener el poder adquisitivo mediante un rendimiento realista y sin riesgos.

Espero que se dé cuenta de que estos son dos objetivos completamente diferentes. El objetivo final de su esfuerzo no es tener la mayor suma de dinero posible en su cuenta de corretaje, sino libertad financiera. En el próximo capítulo veremos cómo lograrlo...

Capítulo 23:

La meta final: la libertad financiera

Incluso si el primer millón parece un objetivo distante para muchos, no está fuera de alcance. El método presentado aquí puede considerarse como un paso importante en el camino hacia esta meta, no necesita ser el único. Por cierto, considero el monto nominal de un millón de dólares más como una meta simbólica. Por extraño que pueda parecerles a los lectores no adinerados, un millón en el banco es, actualmente, más un problema que una solución. Los tiempos en que dicha suma le hubiese dado una tasa de interés anual libre de riesgo del 5 o 6% desaparecieron hace mucho. Y aquellos países con tasas de interés más altas tampoco ofrecen, necesariamente, una solución, porque el interés compuesto se verá afectado por la inflación o, alternativamente, el estado fraudulento incautará el capital con una endeble justificación, como le sucedió a un amigo mío que puso una suma considerable en una cuenta ucraniana.

En otras palabras, las tasas de interés actuales están obligando a cualquiera con algo de dinero a convertirse en inversionista, lo quieran o no.

El método presentado aquí busca lograr un rápido progreso financiero. Es, sin duda alguna, un método poco ortodoxo, pero créame, está siendo utilizado por más operadores de los que usted esperaría. Muchos agentes, que externamente venden un sistema particular con una gestión de riesgos estricta, secretamente hacen exactamente lo que digo aquí sin jamás decirlo en público.

Mi único objetivo con este libro ha sido presentar una forma con la que usted, como operador, pueda alcanzar rápidamente sus objetivos financieros. Claro, también puede hacerlo con métodos tradicionales, como la operación diaria o el *swing trading*. Estos métodos son y seguirán siendo válidos, pero exigen una disciplina inquebrantable por parte del operador, cosa que la mayoría de nosotros, seamos honestos, no tenemos. Esa es la razón por la que es tan elevada la cantidad de operadores que fallan con estas estrategias.

Este método asume que la mayoría de nosotros no somos operadores disciplinados, sino personas comunes que cometemos errores cada tanto.

Pero si, como se sugiere aquí, usted apuesta por eventos específicos o tendencias sólidas en el mercado de valores, solo necesita acertar algunas veces. Es entonces, cuando acierta, que debe tener el coraje de entrar en grande. Muchos operadores, como Jesse

Livermore, lo hicieron de esta manera, gradualmente trabajando desde humildes comienzos.

Es evidente que no tendrá éxito con cada especulación. A veces, su posición apenas le hará ganar dinero. A veces, tal vez, solo unos pocos miles de dólares. No se desanime. Si se apega a esta idea, un día encontrará el mercado en el que pueda ganar USD 100.000, o incluso más.

Si saca USD 70.000 de ese dinero, puede comprar una casa u otro activo. Inviértalo en algo en lo que aún pueda beneficiarse dentro de diez años. Preferiblemente, compre un activo que mensualmente deposite dinero en su bolsillo. El Tesla último modelo, por ejemplo, no entra en esta categoría. Este juguete sacará dinero de él y se depreciará mensualmente.

Y eso nos lleva a la importante diferencia entre un activo y un pasivo. Un activo regularmente deposita dinero en sus bolsillos. Un pasivo, por su parte, le cuesta dinero. Debo esta clara distinción a los libros de Robert Kiyosaki. Si aún no los conoce, le recomiendo que los compre ahora.

Otra manera de generar flujo de caja mensual es construir una cartera de dividendos con sus ganancias. Esta es una forma de beneficiarse de ellas durante décadas. Es realmente divertido tener algo así, créame. Entonces es dueño de un cajero automático que le traerá dinero todos los meses sin tener que hacer algo grande para conseguirlo.

Es decir, mi recomendación es no ir de especulación en especulación hasta no tener, finalmente, este millón en su cuenta bancaria. Puede sonar grandioso decir: soy millonario, pero este título no significa mucho en tiempos de tasas de interés cero.

Y pudiera sorprenderse cuando ahora diga: <u>es, incluso, no deseable tener un millón en el banco</u>.

Quiero explicar esto con una bonita historia. Un amigo mío fundó una compañía que un día quiso vender. Y también tuvo suficientes compradores interesados. Calculó que podía obtener cuatro millones de dólares por ella. Muchos dirían: genial, ahora realmente puede liquidar y vivir de los frutos de su trabajo. Ni siquiera cerca. Mi amigo seguía retrasando la venta de su empresa. "¿Por qué?" Le pregunté cando nos volvimos a encontrar. Resultó que estaba realmente asustado de vender. Por supuesto que hubo varias razones, pero una de las más importantes fue que se sentía seguro en tanto su negocio le perteneciera y fuese capaz de pagarse un (generoso) sueldo ejecutivo mensual, porque, de venderla, ya no tendría sueldo. "Sí, pero podrías tener cuatro millones en el banco", le repliqué. "Claro", contestó, «solo que ese dinero a duras penas me servirá de algo. ¿De qué voy a vivir?"

Esta historia pudiera parecerle absurda a algunos lectores, porque creen que cualquiera con esa cantidad de dinero en el banco dejará de tener problemas financieros. Lamentablemente, lo contrario es lo válido. Por absurdo que pueda parecerles a las personas menos adineradas, si tiene un millón o incluso más en el banco, entonces, de hecho, tiene un problema. Este "millón en el banco" no es más que un sueño pequeño burgués. Este sueño es también la razón por la que tanta gente juega a la lotería, y también por la que tantos millonarios de lotería pierden todo al cabo de un tiempo.

Este millón, actualmente, apenas sirve de algo. Mi amigo lo sabía. Desafortunadamente, durante su vida empresarial falló en invertir el dinero ganado en activos que le hubiesen generado un flujo de caja mensual (es decir, ingreso pasivo). Apenas tenía bienes inmuebles. Había especulado un poco y perdido, mayormente, con acciones. Desgraciadamente, la palabra "dividendo" era ajena a él.

En lugar de acumular un millón en el banco o incluso en una cuenta de *trading*, es importante aprender cómo invertir correctamente ese dinero. Es decir, además de su carrera de especulador, <u>silenciosamente, también debería construir la carrera de un inversionista</u>.

Porque eso es lo que siempre han hecho los realmente adinerados. Siempre tienen dinero, pase lo que pase, porque ellos (o sus antepasados) invirtieron, una y otra vez, capital en activos: tierra, bienes raíces, conglomerados, licencias, ingresos por arrendamiento, dividendos.

Y cuando el flujo de efectivo para estos activos comenzó a exceder la suma de sus gastos mensuales, usaron ese efectivo gratuito para comprar aún más activos que les trajeran aún más dinero. En las llamadas "familias de antiguo dinero" esto se hacía de generación en generación.

Y, en mi opinión, es exactamente así como debe hacerlo. No debería utilizar sus ocasionales éxitos del mercado de valores para crear una cuenta de eterno crecimiento con la que poder despilfarrar con sus amigos. No, hágalo bien desde el principio. Aprenda a desviar la mayoría de sus ganancias e invertirlas en activos a largo plazo. No espere hasta tener cuatro millones en su cuenta porque entonces pudiera tener el mismo problema que mi amigo emprendedor. O el mismo problema que los millonarios de lotería que desaparecen al cabo de un tiempo.

Por lo tanto, en mi opinión, el objetivo de "un millón en el banco" es una trampa. Tal monto puede inspirar su imaginación, sin embargo, es mejor aumentar su coeficiente intelectual financiero desde el principio y aprender a invertir a largo plazo para, por décadas, poder beneficiarse de este dinero después de triunfar en el mercado de valores. Es posible, pero solo si comienza desde el principio.

Así que tome el máximo de sus ganancias y guárdelo. Con el resto, puede continuar especulando y cazando oportunidades lucrativas. ¡Le deseo éxito!

Apéndice 1:

Crisis financieras anteriores

La historia del mundo financiero es rica en crisis financieras. Como dije, lo que sea peligroso o ruinoso para algunos, puede representar una oportunidad para otros. Ese siempre ha sido el caso. Si desea hacerse rico con la especulación bursátil, bien le aconsejo estudiar las crisis financieras pasadas. La siguiente, es una lista que ciertamente no está completa. ¡Estudie estas crisis! Entonces estará mejor equipado para reconocer las que puedan presentarse en el futuro. Además de ellas, también encontrará las posibles especulaciones que hubiese podido negociar exitosamente.

1973: Crisis del petróleo, petróleo largo, valores cortos.

1973: Crisis bancaria en Reino Unido: acciones británicas cortas.

1983: Crisis bancaria en Israel: valores israelíes cortos.

1986 - 1991: Burbuja industrial japonesa: Nikkei corto, Yen largo.

1994 - 1995: Crisis del tequila en México: peso mexicano corto.

1997 - 1998: Crisis asiática: rupia indonesia, baht tailandés, won surcoreano, cortas.

1999: Crisis de Brasil: real brasileño corto.

1998 - 1999: Crisis de Rusia: rublo ruso corto.

2001: Crisis turca: lira corta, acciones cortas.

2001 - 2002: Crisis argentina: peso argentino corto.

2000: Crisis Dotcom: Nasdaq corto.

2007 - 2008: Crisis de alto riesgo, oro y plata largo, valores cortos.

2008: Crisis en Islandia: corona islandesa corta.

2007 - 2008: Crisis inmobiliaria española: IBEX corto (acciones españolas).

2010: Crisis de la deuda soberana griega: ATHEX corto (acciones griegas).

2010: Crisis de la caja de ahorro española: valores españoles cortos.

2010: Crisis del euro crisis: euro corto.

2014: Crisis financiera rusa: rublo corto.

2018: Crisis financiera turca: lira corta, valores turcos cortos.

Como puede ver, no hay escasez de crisis. Casi todos los años hay un incendio en algún lugar del cual poderse beneficiar como especulador.

A propósito, no hay muchos diferentes tipos de crisis. A continuación, las más importantes:

- Crisis bancaria.

- Crisis monetaria.

- Burbujas especulativas.

- Crisis de deuda soberana (un estado no puede pagar su deuda).

- Estancamiento económico y recesiones.

Si desea profundizar su conocimiento de las crisis financieras, puedo recomendarle la siguiente bibliografía:

- Barry Eichengreen: Hall of Mirrors: The Great Depression, the Great Recession, and the Uses-and Misuses-of History, Oxford University Press 2016

- Ray Dalio: Big Debt Crises, Bridgewater 2018

- Carmen M. Reinhart, Kenneth S. Rogoff: This Time Is Different: Eight Centuries of Financial Folly, Princeton University Press 2009 [Carmen M. Reinhart, Kenneth S. Rogoff. Esta vez es distinto: Ocho siglos de necedad financiera. Editorial S.L. Fondo de Cultura Económica de España, 2012]

- Robert Z. Aliber, Charles P. Kindleberger: Manias, Panics, and Crashes: A History of Financial Crises, Palgrave Macmillan 2017 [Robert Z. Aliber, Charles P. Kindleberger. *Manías, pánicos y cracs: Historia de las crisis financieras.* Editorial Ariel Economía, 2012]

Apéndice 2:

sitios web útiles

Buenas gráficas de resumen: https://finviz.com

Calculadora de inversiones: https://www.calculator.
net/investment-calculator.html

Gráficas de largo plazo: https://www.barchart.com/
futures/long-term-trends?viewName=chart

https://www.macrotrends.net/

Glosario

AEX: Índice bursátil de los Países Bajos, el cual se calcula en Euronext Amsterdam.

Bolsa Mercantil de Chicago (CME, por sus siglas en inglés): Perteneciente al CME Group, con sede en Chicago, EE. UU., es una de las mayores bolsas de opciones del mundo y la mayor bolsa de derivados a nivel mundial.

Bolsa Mercantil de Nueva York (NYMEX, por sus siglas en inglés): El mayor mercado de futuros de productos del mundo, con sede en Nueva York.

Bono: También conocido como valor de renta fija, es un valor que devenga intereses.

Bovespa: (Índice Bovespa, abreviado Ibovespa) Índice de acciones líder en Brasil. Formado por 71 empresas.

Brexit: Retiro del Reino Unido de la Unión Europea.

CAC 40: Índice de referencia francés de las 40 principales empresas francesas que cotizan en la Bolsa de París.

Candelabro: Representación de los cambios de precios basados en una técnica de análisis japonesa.

Comisiones: Costos incurridos en la compra y venta de valores.

Contratos por diferencia (CFD, por sus siglas en inglés): Acuerdo de pago cuyo valor es la diferencia entre los precios del valor subyacente, como una acción o moneda, al momento de la compra y venta del CFD.

Contratos a plazo (*Forwards*): Transacciones incondicionales a plazo no negociadas en bolsa.

Corredor: Un proveedor de servicios financieros responsable de ejecutar las órdenes de valores de los inversionistas.

Crisis de alto riesgo: Referido a una crisis bancaria y financiera mundial como parte de la crisis económica mundial desde 2007.

Crisis de Ucrania: Conflicto político, a veces armado, sobre la península de Crimea.

Crisis de la lira: Crisis monetaria y de deuda turca, 2018.

Crisis del euro: Describe una compleja crisis de la Unión Monetaria Europea del año 2010.

Crisis financiera: Crisis bancaria y financiera mundial como parte de la crisis económica mundial desde 2007.

Dependencia de la trayectoria: Efecto inverso que se aplica desde el precio de apertura hasta el precio de cierre. Si el período se alarga, ocurren desviaciones.

Diferencial (*Spread*): El diferencial entre el precio de oferta y demanda.

Disminución en la calificación: Disminución de un valor.

Dividendo: Parte de la ganancia que una empresa pública distribuye a sus accionistas.

Dow Jones: El índice bursátil más antiguo de los EE. UU. que aún sobrevive. Actualmente, comprende 30 de las mayores compañías estadounidenses.

Doji: Patrón de ocurrencia frecuente en un gráfico de velas. Se caracteriza por ser de corta duración, significando un pequeño margen operacional, y siendo casi iguales los precios de apertura y cierre.

Efecto de apalancamiento: El uso de capital prestado aumenta el rendimiento en el uso del capital propio.

ESMA (por sus siglas en inglés): Autoridad Europea de Valores y Mercados.

Estrategia de entrada: Estrategia que determina la entrada en un mercado.

Estrategia de salida: Estrategia que determina la salida de un mercado.

ETF (por sus siglas en inglés): Fondos de inversión cotizados.

EURCHF: Relación monetaria entre el euro y el franco suizo.

EURTRY: Relación monetaria entre el euro y lira turca.

Fait accompli (Hecho consumado): Término francés a menudo utilizado para describir una acción que se completa antes de que los afectados puedan cuestionarla o revertirla.

Flujo de caja: Diferencia en ingresos y gastos durante un período de tiempo.

Forex (por sus siglas en inglés): Mercado de divisas, mercado internacional de divisas.

Francogeddon: Sin previo aviso, el 15 de enero de 2015, el Banco Nacional Suizo incrementó la tasa mínima de cambio del euro de 1,20. El precio del franco suizo aumentó en casi un 20 por ciento.

Futuros: Contrato estandarizado para la compra o venta de una cierta cantidad de un bien, a un precio fijo, en una fecha determinada.

Ganancia en libro: Diferencia entre el precio de compra y el precio actual. Esta ganancia, inicialmente, solo existe en papel. Solo puede realizarse cuando se vende el valor.

Ganancias trimestrales: Informe de una compañía anónima al final de un trimestre.

Gap: Brecha de precio entre dos días de *trading*.

Gestión de riesgos: Incluye todas las medidas para la detección sistemática, análisis, valoración, monitoreo y control de riesgos.

Gestión monetaria: Estrategia de preservación del valor que busca administrar el riesgo de una cartera de valores midiendo cada posición operacional.

Gestión de *Stop***:** Gestión activa de órdenes *stop* durante una operación.

Global Macro: Estrategia de inversión basada en la interpretación y previsión de grandes eventos relacionados con las economías, la historia y las relaciones internacionales.

Gráfica Heikin Ashi: Japonés: "equilibrio sobre un pie". Representación japonesa de cambios en el precio.

Hipótesis de la eficiencia del mercado: Según esta teoría, los mercados financieros son eficientes en tanto que la información existente ya está incorporada al precio y, por lo tanto, ningún mercado participante es capaz de lograr ganancias superiores al promedio mediante análisis técnicos, análisis fundamentales, información privilegiada, o de cualquier otra forma.

Índice accionario: Indicador del rendimiento del mercado de valores en su conjunto, o de grupos de valores individuales (v.g., Dow Jones).

Largo: Ir largo significa comprar y mantener tenencias de valores.

Margen: Posición asegurada para transacciones de intercambio mediante depósito de una determinada garantía.

Margen inicial: Monto de la garantía requerido para abrir una posición.

Mecanismo de tipos de cambio europeo: Una forma de cooperación monetaria entre los países de la Comunidad Europea, del 13 de marzo de 1979 al 31 de diciembre de 1998.

Opción: Derecho a comprar o vender un artículo en particular, en una fecha posterior, a un precio acordado.

Operación de cobertura (*Hedging*)**:** Método para asegurar una transacción contra riesgos financieros, tal como fluctuación de precios.

Orden de toma de ganancias: Orden automatizada del mercado de valores, activada al momento de alcanzarse un precio objetivo predeterminado.

Orden *Buy Stop***:** Orden para comprar o vender valores y que solo se ejecutará cuando el precio alcance un cierto nivel.

Orden *Stop Loss***:** Orden de venta que mejor se ejecuta al alcanzar un precio específico.

Posición de equilibrio (*Flat*)**:** Expresión que indica que los compromisos de compra de un operador están compensados por un compromiso de venta.

Permuta financiera por incumplimiento crediticio (CDS, por sus siglas en inglés): Derivado de crédito en el que se negocian riesgos de impago de préstamos.

Pip: Porcentaje en punto. El menor cambio en el precio en el mercado Forex.

Piramidar: En el negocio de acciones, referido al establecimiento o reducción gradual de posiciones.

Posición corta: Un operador está corto cuando vende una posición que no posee (venta corta).

Precio objetivo: Precio del mercado de valores que debería alcanzar un valor sobre la base de un análisis.

Promediar a la baja (*Averaging down*)**:** Proceso de compra de acciones adicionales de un valor a precios más bajos que el precio de compra original. Esto reduce el precio promedio que paga un inversionista por toda la posición.

Quedar en tablas: Punto en el que no hay ganancias ni pérdidas.

Rango: Rango de precios en el cual un valor se negocia en una fase (un día, una semana, varios meses).

Relación riesgo-recompensa (RRR): Sirve como indicador de la utilidad de una especulación. Se calcula dividiendo la rentabilidad esperada entre la mayor pérdida posible.

Resistencia: Nivel de precios donde surgen más vendedores que compradores.

Reventa (*Scalping*)**:** Técnica de *trading* en la que el operador intenta negociar movimientos mínimos en el mercado.

Revés: Reversión de una tendencia de precios dentro de un día de negociación.

Seguimiento de tendencia: Estrategia de *trading* que se centra en el seguimiento de una tendencia identificada.

S&P 500 (Standard & Poor's 500): Índice accionario que comprende las acciones de 500 de las mayores compañías que cotizan en EE. UU.

SNB: Banco Central de Suiza.

Swing trading: Estrategia de *trading* en la que se conserva un valor durante uno o varios días, a fin de aprovechar los cambios o fluctuaciones en el precio.

Tasa de aciertos: Relación entre operaciones ganadoras y perdedoras.

Tasa de interés: Fijada por un banco central en el marco de su política monetaria, en base a la cual transa con sus bancos afiliados.

Tick: El menor cambio de precio en un mercado de futuros.

Trading diario: Describe la operación especulativa de valores a corto plazo. Las posiciones se abren y cierran dentro del mismo día de negociación.

Trailing Stop: Orden automática de *stop loss*.

USDCAD: Relación monetaria entre el dólar estadounidense y el dólar canadiense.

USDRUB: Relación monetaria entre el dólar estadounidense y el rublo ruso.

Volatilidad: Desviación estándar. Indica cuánto fluctúa un precio.

Libros publicados por Heikin Ashi Trader

¡Apuesta contra la tendencia!

La industria de corretaje usualmente recomienda que los traders principiantes negocien con la tendencia. ¿Pero es rentable hacerlo? Se dice que, si sigues la tendencia, la probabilidad de ganar es mayor. Desafortunadamente, la experiencia demuestra que la mayoría de los operadores no pueden construir un negocio rentable de esta manera.

Viejos y experimentados zorros del mercado solían decir: "Hay que comprar cuando hay sangre en las calles". Esto significa que debes actuar contra la tendencia. En realidad, esta frase es la expresión misma del sentido común. La pregunta sigue siendo:

¿Por qué a los operadores les resulta tan difícil poner en práctica esta perla de sabiduría comercial?

El nuevo libro de Heikin Ashi Trader ofrece ideas y consejos que te ayudarán a reconocer buenas señales de contra tendencia en el mercado de valores, ya que estas suelen ser las oportunidades más rentables de trading.

Tabla de contenido

Parte 2: Ejemplos de trading

¿Cómo hacer scalping con el futuro del mini DAX?

Gracias a la introducción de los futuros del mini-DAX (símbolo **FDXM**), los traders privados con cuentas más pequeñas tienen ahora la posibilidad de hacer scalping sobre el índice alemán DAX de una manera profesional. A diferencia de la mayoría de instrumentos de trading, los futuros son la forma más transparente y eficaz para ganar dinero en los mercados financieros.

Los scalpers tienen infinitamente más oportunidades a la hora de hacer trading que los operadores de posición o los traders intradía, lo que constituye la verdadera fortaleza de este estilo de negociación. Por consiguiente, el scalper puede gestionar su capital de una manera más eficaz que los demás participantes en el mercado, y de este modo, obtener mejores rendimientos.

En este libro, el trader Heikin Ashi te muestra cómo hacer scalping exitosamente con el nuevo futuro del DAX. Aprenderás a entrar al mercado, a manejar tu posición y a encontrar el momento preciso para salir. Además, el libro contiene una gran cantidad de consejos y herramientas para hacer de tu trading una práctica aún más eficaz y precisa.

Cómo Operar en Rangos

Negocia el Mercado más Interesante del Mundo

Los mercados financieros se desarrollan predominantemente en zonas sin tendencia, llamadas rangos de negociación o mercados laterales. Lamentablemente existe una idea bastante difundida en el negocio: los traders ganan dinero solo cuando un mercado está en tendencia, y deben evitar estos movimientos laterales a toda costa, ya que no hay mucho beneficio en ellos.

Es por esto que la mayoría de las estrategias comerciales a corto plazo se basan en el modelo de seguimiento de tendencias, aunque sea difícil de implementar. Por lo tanto, la mayoría de traders siempre están buscando el próximo gran movimiento, ese que les permita aumentar el saldo de su cuenta significativamente. La experiencia muestra, sin embargo, que estos grandes "movimientos" o "tendencias" no siempre son tan fáciles de operar. O el trader reconoce la tendencia demasiado tarde, o el movimiento apenas ofrece oportunidades para ingresar al mercado.

Sin embargo, existe un grupo especializado de traders que no están buscando el próximo gran movimiento, sino que operan los mercados en rango, con excelentes resultados. Este libro describe los métodos y tácticas de estos traders. Pero a diferencia de la mayor parte de la literatura comercial disponible, no pretende enseñar cómo identificar un rango y luego operar la ruptura, sino cómo operar el rango como tal.

Tabla de contenido

Sobre el Autor

Heikin Ashi Trader es el seudónimo de un trader con más de 18 años de experiencia en el day trading de futuros y divisas. Se especializa en el scalping y el day trading ultra-rápido. Además de su actividad comercial, también ha publicado múltiples libros en los que enseña sus métodos de negociación. Los temas que trata son: scalping, swing trading y gestión de dinero y riesgo.

Made in the USA
Coppell, TX
16 January 2024

27769329R00098